CB034017

Atividades
para o desenvolvimento da
inteligência
emocional
nas crianças

Ciranda Cultural

Dados Internacionais de Catalogação na Publicação (CIP) de acordo com ISBD

A478a	Alzina, Rafael Bisquerra.
	Atividades para o desenvolvimento da inteligência emocional nas crianças / Rafael Bisquerra Alzina... [et al]; ilustrado por Ana Zurita; traduzido por Sueli Brianezi Carvalho. - Jandira, SP : Ciranda Cultural, 2009. 192 p. : il.; 20,10cm x 27,00cm.
	Título original: Actividades para el desarrollo de la inteligencia emocional en los niños ISBN: 978-85-380-0416-5
	1. Atividades pedagógicas. 2. Crescimento. 3. Emoções. 4. Aprendizado. I. Escoda, Núria Pérez. II. Bonilla, Montsserrat Cuadrado. III. Cassà, Èlia López. IV. Guiu, Gemma Filella. V. Soler, Meritxell Obiols. VI. Zurita, Ana. VII. Carvalho, Sueli Brianezi. VIII. Título.
2022-0485	CDD 370.28 CDU 37-82

Elaborado por Lucio Feitosa - CRB-8/8803

Índice para catálogo sistemático:
1. Atividades pedagógicas 370.28
2. Atividades pedagógicas 37-82

ATIVIDADES PARA O DESENVOLVIMENTO DA INTELIGÊNCIA EMOCIONAL NAS CRIANÇAS

Projeto e realização: Parramón Ediciones, S.A.

Editor:
Jesús Araújo

Textos e realização de atividades:
GROP: Grup de Recerca en Orientació Psicopedagògica Barcelona. España
Rafael Bisquerra Alzina
Núria Pérez Escoda
Montserrat Cuadrado Bonilla
Èlia López Cassà
Gemma Filella Guiu
Meritxell Obiols Soler

Ilustrações:
Ana Zurita

Coordenação da obra:
ReMolino Servicios Editoriales

Design da coleção:
El ojo del huracán

Maquetes:
Leonardo Ribero

Primeira edição: março de 2009
© 2009 Parramón Ediciones, S.A.

Direção de produção:
Rafael Marfil

Produção:
Manel Sánchez

Pré-impressão:
Pacmer, S.A.

© desta edição:
Ciranda Cultural Editora e Distribuidora Ltda.

Tradução: Sueli Brianezi Carvalho
Preparação: Elisa Alves
Revisão: Fernanda Magalhães e Maitê Ribeiro
Diagramação: Ciranda Cultural

1ª Edição em 2009

5ª Impressão em 2024
www.cirandacultural.com.br

Atividades
para o desenvolvimento da
inteligência
emocional
nas crianças

GROP:
Grup de Recerca en Orientació Psicopedagògica

Rafael Bisquerra Alzina
Núria Pérez Escoda
Montserrat Cuadrado Bonilla
Èlia López Cassà
Gemma Filella Guiu
Meritxell Obiols Soler

Ciranda Cultural

Sumário

Sobre os autores

Os autores deste livro pertencem ao Grop – Grup de Recerca en Orientaciò Psicopedagògica (Grupo de Pesquisa em Orientação Psicopedagógica) –, um grupo de estudo da Universidade de Barcelona (Espanha) que se dedica a investigar a orientação psicopedagógica em amplo sentido, ainda que, atualmente, a principal atividade esteja concentrada na Educação Emocional, entendida como um aspecto da orientação para a prevenção e o desenvolvimento humano. Esse grupo se formou em 1997 com a finalidade de realizar investigações e formações no campo da Educação Emocional.

A seguir, um pequeno resumo dos currículos de cada um dos autores que participaram deste livro.

Rafael Bisquerra Alzina. Doutor em Ciências da Educação, graduado em Pedagogia e Psicologia, diretor do departamento de pós-graduação em Educação Emocional da Universidade de Barcelona (Espanha) e coordenador do GROP, cuja linha de pesquisa é a Educação Emocional.

Núria Pérez Escoda. Doutora em Ciências da Educação, professora titular do Departamento de Métodos de Investigação e Diagnóstico em Educação da Faculdade de Pedagogia da Universidade de Barcelona (Espanha), codiretora do departamento de pós-graduação em Educação Emocional e coordenadora do GROP.

Montserrat Cuadrado Bonilla. Graduada em Psicopedagogia, Filosofia e Ciências da Educação pela Universidade de Barcelona (Espanha) e licenciada em Educação Básica pela mesma universidade.

Èlia López Cassà. Professora de Educação Infantil e Primária, professora de Educação Emocional do Instituto de Ciências da Educação da Universidade de Barcelona (Espanha).

Gemma Filella Guiu. Doutora em Filosofia e Ciências da Educação (Educação Moral e Cívica) pela Universidade de Barcelona (Espanha) e graduada em Filosofia e Letras pela mesma universidade. Possui pós--graduação em Educação Emocional pela Universidade de Lleida.

Meritxell Obiols Soler. Doutora em Ciências da Educação, graduada em Filologia Catalã pela Universidade de Barcelona (Espanha) e licenciada em Ciências Humanas pela Escola Universitária Blanquerna. Palestrante para professores e famílias, fala sobre Educação Emocional, treinamento pessoal e executivo, etc.

Introdução

Atividades para o desenvolvimento da inteligência emocional

A inteligência emocional é um dos aspectos importantes de uma pessoa. Possuir inteligência emocional favorece as relações com os demais e consigo mesmo, melhora a aprendizagem, facilita a resolução de problemas e favorece o bem-estar pessoal e social.

A inteligência emocional é formada por um conjunto de competências relacionadas à capacidade de administrar de forma adequada as próprias emoções e, também, as alheias. Possuir inteligência emocional significa colocar em prática esse conjunto de competências (uma competência é uma série de conhecimentos, capacidades, habilidades e atitudes, necessária para fazer as coisas de maneira efetiva). As competências emocionais são atitudes, capacidades, habilidades e conhecimentos necessários para compreender, expressar e adequar de forma apropriada nossas emoções.

Nesta obra, serão trabalhados cinco blocos de competências emocionais, um bloco por capítulo: consciência emocional, adequação emocional, autonomia emocional, habilidades socioemocionais e habilidades para a vida e o bem-estar emocional. A representação gráfica desses blocos seria como um pentágono:

Vamos defini-las, de modo breve, a seguir:

Consciência emocional
Capacidade de estar consciente das próprias emoções e das emoções dos outros.

Adequação emocional
Capacidade para controlar as emoções de forma apropriada.

Autonomia emocional
Capacidade para gerar, em si mesmo, as emoções apropriadas em um momento determinado. Isso inclui uma boa autoestima, atitude positiva diante da vida e responsabilidade.

Habilidades socioemocionais
Capacidade para manter boas relações com os outros.

Habilidades para a vida e o bem-estar emocional
Comportamentos apropriados e responsáveis para confrontar aquilo que nos acontece, o que permite organizar nossa vida de forma sadia e equilibrada, facilitando experiências de satisfação ou bem-estar. O bem-estar pessoal aparece quando experimentamos emoções positivas.

A pessoa que possui inteligência emocional é capaz de gerar emoções positivas e se relacionar satisfatoriamente com os outros.

É importante compreender que adquirir inteligência emocional não e fácil. É necessário treinamento e muita prática. Para ajudá-lo no desenvolvimento da inteligência emocional, propomos um grande número de atividades em cada um dos cinco blocos de competências mencionados. Mediante as atividades e os exercícios encontrados nas páginas seguintes, você poderá entender e desenvolver a inteligência emocional das crianças por meio de uma participação efetiva delas mesmas.

Orientações para os adultos

Os pais e os educadores profissionais podem contribuir em grande medida com o desenvolvimento das competências emocionais das crianças. O que é necessário, em primeiro lugar, é ter consciência da importância que isso pode ter em suas vidas. Ao longo deste livro, traremos ideias e sugestões que apoiam e justificam a necessidade e a importância dessas competências.

Em segundo lugar, deve-se aceitar que são competências difíceis de desenvolver; é necessário muito tempo: anos de esforço e de treinamento. Uma observação simples, um comentário ou uma bronca não é suficiente. Necessita-se de paciência, repetição, insistência e treinamento diário.

Em terceiro lugar, e como consequência do anterior, deve-se estar disposto a investir tempo, esforço e atenção para ajudar as crianças a adequar melhor as emoções. Uma forma de fazê-lo é com perguntas. Essas perguntas devem ser formuladas no momento oportuno. Se possuímos a sensibilidade para fazer a pergunta adequada no momento certo, estaremos dando passos adiante.

O tempo que os pais e os educadores profissionais dedicarem a ajudar as crianças para que administrem melhor as emoções será bem empregado. É uma tarefa que vale a pena e que compensará no futuro.

Consciência emocional

A consciência emocional se refere à capacidade de perceber, identificar e dar nomes aos sentimentos e emoções próprios e aos dos outros. Isso supõe conhecer o vocabulário das emoções. Também significa compreender os sentimentos dos demais por meio dos contextos situacionais e expressivos (comunicação verbal e não verbal), de acordo com o significado que a cultura popular atribui a certas circunstâncias.

Vejamos um exemplo de consciência emocional. Pense em como você se sente diante de elementos como: o sol, o mar, a praia, um jogo, um jardim, as flores, as montanhas, os amigos, etc. Qual é o seu sentimento diante desses conceitos? Agora pense em como se sente diante desses outros: ameaças, tormentas, trovões, relâmpagos, inundações, serpentes, aranhas, etc. Há diferenças entre o primeiro conjunto de exemplos e o segundo? Com qual tipo de conceitos você se sente melhor?

Isso é a consciência emocional: conhecer as próprias emoções no momento em que nos relacionamos com outras pessoas ou com elementos. Para desenvolver a competência emocional, você realizará diversas atividades que são como jogos, mas você deve pensar e ter consciência de como se sente. As mães e os pais podem ajudar na aquisição de consciência emocional das crianças fazendo perguntas, por exemplo, "Como você se sente?"; "O que tem vontade de fazer?"; "Como acha que o outro se sente?"; "O que você acha que ele tem vontade de fazer?".

Quando dizemos: "Como você acha que o outro se sente?", com a expressão "o outro" nos referimos a múltiplas situações possíveis, sejam reais ou de ficção; por exemplo, como se sente o personagem de um conto em um momento de conflito; como se sente o protagonista de um filme; como se sente um colega que tirou uma nota alta em um trabalho ou como se sente quando outros colegas o insultam; etc. Ter essa consciência também leva a analisar como você se sente quando se relaciona com uma pessoa diferente de você. Pode ser diferente por muitas razões: é mais novo, é de outro país ou cultura, tem a pele de outra cor, tem outra religião, outra forma de pensar, etc.

Devemos reconhecer que, às vezes, não nos sentimos bem diante de certas situações ou diante de algumas pessoas. Mas isso não é motivo para que não respeitemos a forma de ser que cada um possui. Em todos os casos, devemos nos comportar com dignidade, cortesia e respeito. Isso significa adequar-se emocionalmente, aspecto que veremos no capítulo seguinte. A adequação emocional e a prevenção de conflitos começam com a consciência emocional. Pode-se dizer que a consciência emocional é a primeira das competências emocionais e aquela que torna possível as demais.

Quando realizar as atividades desse capítulo, pense: Como me sinto? Como você se sente? O que eu tenho vontade de fazer? O que você tem vontade de fazer? Como posso melhorar a situação?

Preste atenção!

Descrição

Imagine-se em um grupo de crianças brincando de esconde--esconde; em um canto, está um menino triste, que não brinca com ninguém.

Pense nisso e responda às perguntas seguintes

- Como você acha que se sentem as crianças que brincam juntas?
- Como se sente o menino que não brinca com os demais? Por quê?
- O que você faria para ajudar o menino que está triste e sozinho para que ele se sinta melhor?

Em seguida, desenhe em um papel as expressões faciais do menino triste e a expressão de alguma criança que está brincando de esconde-esconde.

Sentem-se TRISTES

Sentem-se CONTENTES

Observações para os trabalhadores

No caso de trabalhar essa atividade em grupo, propõe-se representar a situação exposta e que o grupo diga possíveis soluções para ajudar o menino triste a se sentir melhor.

Possíveis soluções

1 Aproximar-se do menino triste e perguntar-lhe se ele também quer brincar.
2 Sentar-se ao lado do menino que está sozinho e conversar com ele.
3 Ir com os amigos até o menino e, juntos, convidarem-no a brincar também.
4 Perguntar-lhe por que está triste e se pode ajudá-lo em alguma coisa.

Muitos problemas

Objetivo

Expressar queixas ou insatisfações em situações do dia a dia.

Descrição

Imagine a seguinte situação:

1. João é um menino muito aplicado. Faz as lições de casa, estuda bastante e se comporta muito bem na sala de aula.

2. Alberto é o menino que se senta ao lado de João. Ele é um aluno que não se comporta bem, não faz as lições e copia os deveres do colega.

3. Um dia João se cansa dessa situação e decide contar tudo para o professor.

4. O professor dá uma bronca em Alberto e o deixa de castigo, além de dizer a ele que vai contar aos seus pais o que está acontecendo.

5. Alberto começa a chorar e pede ao professor para que não conte nada aos seus pais, porque eles vão ficar bravos com isso.

6. Os amigos de Alberto chamam João de dedo-duro e zombam dele no pátio. Outros alunos sabem que Alberto quase sempre copia os deveres de João, mas não se atrevem a dizer nada.

Reflita sobre o problema de João com base nas seguintes perguntas

- O que você acha que João pensa quando Alberto copia seus deveres?
- Como João deve se sentir ao ver as notas que os professores dão para Alberto, sabendo que foi ele quem fez os deveres?
- O que você acha da atitude de João contar ao professor o que Alberto costuma fazer?
- Como você acha que Alberto se sente quando João explica ao professor que ele copia seus deveres?
- Como se sentem os amigos de Alberto quando o veem chorando e com medo de que os pais fiquem bravos?
- O que você acha do comportamento dos amigos de Alberto quando acusam João de dedo-duro e caçoam dele?
- O que você pensa a respeito dos colegas de classe que sabem que João está certo, mas têm medo de apoiá-lo?
- O que você faria se acontecesse com você o mesmo que aconteceu com João? E o que você faria se fosse com um amigo seu?

Análise do problema

João acredita que é injusto Alberto copiar os deveres feitos com tanto esforço e dedicação.

João fica com raiva porque Alberto não merece uma boa nota, já que a única coisa que fez foi copiar os deveres; e também se sente frustrado porque não tem coragem de contar ao professor.

João tem todo o direito de explicar seu problema e demonstra coragem ao contar ao professor o que acontece.

Alberto fica com raiva, mas também assustado, quando João conta ao professor que ele copia os deveres.

Os amigos de Alberto se sentem tristes e preocupados ao vê-lo chorando e com medo que os pais briguem com ele. Por isso, ficam com raiva por João ter denunciado Alberto.

O comportamento dos amigos de Alberto ao chamar João de dedo-duro e zombar dele é injusto, porque Alberto não estava agindo corretamente e se aproveitava do trabalho e do esforço de João.

Os colegas que sabem que João está certo e não têm coragem de dizer demonstram pouco companheirismo e falta de coragem para defender João de uma situação que sabem que não é correta.

Em uma situação como essa, João age muito bem ao explicar ao professor o que está acontecendo. Se fôssemos amigos de João, o mais correto seria defendê-lo diante do professor.

Da próxima vez você me escutará!

Descrição

É possível que você já tenha escutado o título da atividade mais de uma vez e que essa frase tenha sido dita por alguém mais velho (a mãe, o pai, a professora...). Imagine a seguinte situação:

Que lindos!

1. Maria ganhou um par de patins de aniversário.

2. Ela tem muita vontade de estreá-lo e pergunta ao pai se pode brincar um pouquinho com ele no quintal.

Vou ao quintal!

3. O pai lhe permite brincar, mas diz para colocar o capacete para evitar que se machuque caso caia.

Coloque o capacete!

Que fácil!

4. Maria tem vergonha de colocar o capacete e decide patinar sem ele.

Ai! Estou caindo!

5. Quando percebe o quanto é fácil e divertido brincar com os patins novos, ela começa a patinar cada vez mais rápido e, sem se dar conta, chega a uma rampa, não consegue parar a tempo, cai e bate fortemente a cabeça no chão.

6. Maria volta para casa chorando desconsolada e com um galo na cabeça que dói muito. O pai, enquanto está cuidando do machucado, recorda-lhe que a advertiu para colocar o capacete e, em seguida, diz:
– Da próxima vez você me escutará!

Maria, eu lhe disse!

6

Faça um desenho recontando a situação vivida.

> **Material:** papel, lápis e lápis de cor.
> **Participantes:** individual ou em grupo.
> **Idade:** recomendável a partir dos 10 anos.

Reflita sobre o acidente de Maria com base nas seguintes perguntas

- O que aconteceu com Maria?
- Por que você acha que o pai a advertiu sobre a necessidade de colocar o capacete?
- Por que Maria não lhe obedeceu?
- Finalmente, o pai de Maria tinha razão? Por quê?
- Como você acha que deveria se sentir o pai ao se dar conta de que Maria não havia escutado o que ele disse?
- O que você aprendeu com o que aconteceu com Maria?

Análise do problema

Maria estreia os patins e não escuta a advertência de seu pai falando para que ela coloque o capacete. Cai e machuca a cabeça e, por isso, seu pai a repreende dizendo que da próxima vez ela o escutará.

O pai queria que Maria colocasse o capacete para que não machucasse a cabeça caso caísse.

Maria não obedece porque tem vergonha de colocar o capacete.

No final, quem tem razão é o pai, porque Maria cai e machuca a cabeça. No princípio, o pai provavelmente se assustou com a queda de Maria, ainda que também estivesse nervoso e triste porque a filha não o escutou.

Dessa situação, deve-se aprender a respeitar as advertências que fazem os pais, professores e pessoas mais velhas.

Os adultos não dizem coisas para incomodá-lo, mas sim para o seu bem.

Um artista completo

Tristeza

Alegria

Raiva

Vergonha

Medo

Descrição

Utilize um papel ou uma cartolina para fazer um desenho que represente uma emoção que está sentindo agora ou que já sentiu em algum momento (alegria, tristeza, medo, vergonha ou raiva). Não escreva o nome da emoção que está ilustrando, somente desenhe!

?

?

?

?

A seguir, mostre o desenho para várias pessoas; quanto mais, melhor. Por exemplo, pais, irmãos, vizinhos, colegas de classe, amigos... Agora, peça para que eles escrevam na parte de trás a emoção que acreditam que o desenho representa.

Desenhe!

Mostre o desenho para seus pais!

Os pais opinam!

Mostre o desenho para seus irmãos!

Os irmãos opinam!

O que eles escreveram está de acordo com o que você pensou?

Leia o que escreveram

- O que escreveram coincide com o que você queria representar no desenho?
- Há alguma palavra que você não entende por que escreveram? Se não entende, o que pode fazer para compreender?
- Conseguiu resolver esse "mistério" das palavras?
- Essa atividade lhe ensinou alguma coisa?

Análise do problema

É possível que algumas das palavras escritas coincidam com a emoção que queria expressar no desenho, mas, quem sabe, você tenha se surpreendido ao comprovar que escreveram emoções que não têm nada a ver com aquilo que você pretendia.

Pode ser que não consiga entender algo que tenham escrito sobre o desenho. Então, o melhor é perguntar diretamente para quem escreveu.

Se perguntar, você vai saber que é possível interpretar o desenho de forma distinta da sua. Pode acontecer que, depois de escutar a explicação, entenda por que alguém descreveu seu desenho com uma palavra que não compreendia.

Depois dessa atividade, você se dará conta de que as pessoas podem entender coisas de maneiras muito diferentes, ainda que vejam o mesmo desenho, e que o melhor modo de compreender algo que não entendemos é perguntando.

Como você se sente?

Objetivo
Reconhecer as emoções por meio das expressões faciais e adquirir vocabulário emocional.

Descrição
Observe atentamente esses rostos que demonstram emoções distintas. Responda, o que eles expressam?

Medo?

Alegria?

Raiva?

Tristeza?

Surpresa?

Pense e responda às seguintes perguntas

- Que emoção representa cada um dos rostos?
- Como reagem as pessoas diante de cada uma dessas emoções?
- O que teria de acontecer com você para sentir essas emoções?
- Como você crê que reagiria?

Análise do problema

É possível que cada um dos rostos tenha lhe sugerido o seguinte:

Surpresa   *Medo*

Tristeza   *Raiva*

Alegria

Diante da surpresa, é possível que reaja imediatamente, já que esse sentimento surge diante de uma situação inesperada.

Quando você está triste, talvez tenha vontade de chorar, de ficar quieto e sozinho, ou também pode acontecer de precisar que alguém esteja ao seu lado para consolá-lo e fazer-lhe companhia.

A alegria nos dá prazer em compartilhá-la com os outros.

Ao contrário, quando se sente medo, talvez nos custe mais reagir, já que o medo nos paralisa, ainda que, às vezes, nos faça sentir a necessidade de fugir ou de buscar proteção.

A raiva nos faz ter vontade de expressar o que sentimos, atacar ou gritar.

Vencedores e vencidos

Objetivo

Reconhecer as emoções dos outros e as próprias.

Descrição

Você vai ler um conto que tem como título *Vencedores e vencidos*. Vamos fazer pausas em diferentes partes para analisar quais emoções você acredita que vão surgindo diante das circunstâncias. Assim, tenha muita atenção, porque essa emocionante história começa agora.

Hoje acontece a final da prova de atletismo dos mil metros livres no Estádio Olímpico. Os corredores estão se preparando para essa final há meses. Nesse momento, estão no início da pista, aquecendo-se, enquanto aguardam o tiro que define a largada. Finalmente, chega o momento esperado e os dez corredores se lançam na pista tentando dar o melhor de si.

Responda às seguintes perguntas

- Que emoções você acha que um atleta sente dias antes de uma grande final?
- E alguns instantes antes de começar a corrida, quando estão esperando o tiro de largada?
- E quando começa a corrida?

Análise do problema

Um atleta deve sentir nervosismo e ansiedade antes de uma grande final, do mesmo modo que nos minutos anteriores à corrida. No entanto, quando inicia a corrida, é provável que já não sinta nada além da vontade de lutar e ganhar.

Dado um determinado momento, três corredores, dois da mesma equipe, separaram-se do resto e lideram a corrida. Dois deles, Sérgio e Marcos, além de companheiros, são excelentes amigos dentro e fora da pista.

Responda às seguintes perguntas

- O que devem sentir os três atletas quando veem que vão avançando e começam a liderar a corrida?
- O que sentem os outros corredores quando começam a ficar para trás?

Análise do problema

Os três corredores, quando veem que vão avançando e começam a liderar a corrida, devem sentir alegria e mais motivação, diferentemente do restante dos corredores que ficam para trás, que possivelmente sentem raiva, frustração ou até mesmo resignação.

A corrida se desenvolve com normalidade, e os três corredores líderes chegam à reta final, bem distantes dos outros competidores. Faltam 100 metros para o fim e os três atletas se preparam para cruzar a linha de chegada. É agora ou nunca! Sérgio começa a ter uma pequena vantagem sobre os outros dois.

Reflita sobre as seguintes perguntas

- O que devem sentir os três corredores nessa reta final?
- O que devem pensar?
- O que deve pensar e sentir Sérgio quando lidera a corrida nesses últimos metros? E Marcos, o companheiro de equipe?

Análise do problema

Os três corredores, nessa reta final, devem ter uma máxima concentração e vontade de vencer a prova; além disso, Sérgio, nos últimos metros, deve também se sentir orgulhoso e satisfeito por estar em primeiro lugar.

Mas, às vezes, as coisas acontecem quando menos se espera. Sérgio cai de mau jeito, queixando-se de uma forte dor na perna esquerda. Os outros dois atletas o alcançam e continuam os 50 metros que faltam para terminar a corrida. Marcos avança, ultrapassa o outro atleta e ganha a corrida.

Reflita

- Como deve se sentir Sérgio ao cair?

Análise do problema

Sérgio deve se sentir frustrado e com muita raiva ao cair, porque é devido a isso que não é o vencedor da prova que estava liderando.

E como as coisas acontecem inesperadamente, Sérgio consegue se levantar com muita dificuldade e avança lentamente pela pista, com uma comovente expressão de dor no rosto. Os outros corredores, que vinham alguns metros atrás dos líderes, vão se aproximando e, com eles, o terceiro companheiro da equipe de Sérgio, que se detém para ajudá-lo a cruzar a linha de chegada. Chegam nos últimos lugares, mas são os mais aclamados pelo público.

Reflita sobre as seguintes perguntas

- Como deve se sentir Sérgio ao chegar à meta com a ajuda do companheiro de equipe?
- E o companheiro que desiste da corrida para ajudar Sérgio?
- Como deve se sentir Marcos ao ver que Sérgio é aclamado pelo público quando atravessa a linha de chegada?

Análise do problema

Sérgio deve se sentir contente, orgulhoso e agradecido pela ajuda do companheiro. No caso de Marcos, pode ser que se sinta contente ao comprovar que Sérgio consegue chegar ao final, mas também é possível que sinta ciúmes por causa dos aplausos que o companheiro recebe do público, apesar de não ter sido o vencedor.

Perceba que uma mesma situação pode fazer com que as diversas pessoas que a estão vivendo sintam diferentes emoções e, inclusive, pode acontecer de nós mesmos sentirmos várias emoções ao mesmo tempo.

Você viu meu caderno?

Objetivo

Valorizar a importância de ser sincero e dizer a verdade.

Descrição

Leia a seguinte história e termine-a com um final de que você goste.

1. Era uma vez duas colegas, Susana e Cristina, que se sentavam juntas na aula.

Olhe, tenho um caderno novo!

34

2. *Um dia, Susana chegou com um caderno novo, o qual tinha, na capa, os personagens dos desenhos animados da televisão que estavam na moda.*

3. *Cristina adorou o caderno e, quando estavam quase saindo para o recreio, ela pegou dissimuladamente o caderno de Susana e o colocou na mochila.*

4. Ao voltar para a classe, depois do recreio, Susana percebeu que o caderno não estava sobre a mesa e perguntou a Cristina se ela o havia visto. Cristina respondeu que não…

Você viu meu caderno?

4

Continue essa história explicando como você gostaria que terminasse.

Que título você daria?

Análise do problema

Todos nós podemos nos equivocar alguma vez e agir de forma incorreta, mas sempre é tempo de retificar nossos erros e pedir desculpas. Existe uma razão para que se diga que aprendemos muito com os erros.

O mais importante é aprender a lição para que não voltemos a repetir o mesmo erro.

Responda às seguintes perguntas

- Alguma vez você mentiu? Quando e por quê?
- Como você se sente ao mentir?
- Alguma vez já mentiram para você? Como você se sentiu ao descobrir?
- Por que você não gosta quando lhe mentem?

Análise do problema

Às vezes, mentimos por medo de ouvir uma bronca ou para não entristecer alguém, mas a mentira nos faz sentir culpados e arrependidos. Quando nos contam uma mentira, sentimo-nos decepcionados e, com frequência, ficamos tristes com as pessoas que mentiram, porque não nos disseram a verdade. Além disso, costumamos desconfiar das pessoas que mentem para nós.

S.O.S.!

Objetivo

Saber o que se pode fazer para ajudar os outros e o que se sente ao fazê-lo.

Descrição

Observe a imagem seguinte.

Reflita sobre a imagem com base nas seguintes perguntas

- O que você vê na imagem?
- Como você acha que deve se sentir a pessoa que se deixa ajudar?
- Como você acha que se sente a pessoa que está ajudando?

Escreva em uma folha à parte a quais pessoas você costuma ajudar e em que situações as ajuda. Utilize o quadro seguinte como modelo:

Pessoas que costumo ajudar	Situações em que as ajudo
Meus pais	Arrumo meu quarto
Meus irmãos	Acompanho meu irmão caçula
Meus avós	Dou aquilo que me pedem
Meus amigos	Empresto minha bola
Meus colegas	Defendo-os
Minha professora	Respeito-a
Outras pessoas, como meus vizinhos	Agradeço quando me acompanham até minha casa

Reflita sobre as perguntas seguintes

- Como você se sente ao ajudar?
- E eles, como você acha que se sentem?

Palavras emocionais

Objetivo
Reconhecer e expressar emoções artisticamente.

Descrição
Como você faria para que a palavra "surpresa" expressasse surpresa? E para que "raiva" parecesse com raiva? Vamos explicar-lhe.

Material: papel branco ou cartolina, lápis de cor ou canetinha e todo o material de desenho de que você se lembre.
Participantes: individual ou em grupo.
Idade: recomendável a partir de 10 anos.

Vergonha

Medo

Raiva

Surpresa

Amor

Alegria

Tristeza

Da lista de emoções que há a seguir, escolha uma. Quando tiver o material necessário, coloque o papel ou a cartolina na horizontal e represente o nome da emoção escolhida, do modo mais original e artístico de que você se lembre. Preste atenção nos seguintes exemplos:

Alegria

Medo

Amor

Tristeza

Vergonha

Surpresa

Raiva

Reflita sobre as perguntas seguintes

- De que cor você imagina que seja a alegria? E a raiva? E a vergonha?
- Você seria capaz de desenhar uma das letras da palavra "tristeza" com olhos que choram? Ou "alegria" com uma boca que sorri? De que tamanho poderiam ser as letras da palavra "raiva"?

Olhe como podemos representar a emoção "raiva":

Além das palavras

Objetivo

Reconhecer as emoções que contêm as expressões que utilizamos no nosso cotidiano.

Descrição

Concretize as emoções que há nessas expressões.

1 Temos de tentar. Não podemos deixar de aproveitar essa oportunidade!

Emoção:

2 Você acha que agi da
maneira correta?

      Emoção:

3 Parece lógico que você sempre
esteja me pedindo favores?

      Emoção:

4 Foi incrível! Nunca me esquecerei desse dia tão especial.

Emoção:

5 Sinto muito não poder ter ido à sua festa de aniversário.

Emoção:

6 Não sei como não pensamos nisso antes!

Emoção:

Respostas

1. Esperança, ilusão.
2. Dúvida, incerteza, insegurança.
3. Raiva.
4. Alegria, ilusão, admiração, surpresa.
5. Tristeza, arrependimento.
6. Surpresa.

Análise do problema

Você pode observar que, além das palavras, a forma que temos de expressá-las nos permite descobrir que emoção há por trás delas. Portanto, com frequência, o importante não é somente o que se diz, mas também como se diz: o tom de voz, o volume, o ritmo da fala, a entonação utilizada, sem esquecer a expressão do rosto, a postura corporal e os gestos. Tudo comunica e expressa emoções, não somente as palavras.

Coquetel de emoções

Objetivo

Compreender a ambivalência emocional.

Descrição

Há situações que podem provocar mais de um sentimento ao mesmo tempo e, inclusive, pode se tratar de emoções contraditórias, de maneira que se aceite a ambiguidade emocional.

Deduza que emoções os protagonistas destas histórias sentem e por quê:

O avô de Luís esteve muito tempo doente no hospital. Sofreu muito e a família também. Finalmente, faleceu.

Reflita

- Que emoções você acredita que deve sentir a família?

Material: papel e lápis para responder às perguntas.
Participantes: quantos quiserem participar.
Idade: a partir de 9 anos.

A mãe de Carlos entra no quarto do filho e descobre que ele não arrumou a cama antes de sair de casa, como ela havia lhe pedido, e que o quarto está todo desarrumado.

Reflita sobre as seguintes perguntas

- Como você acha que se sente a mãe de Carlos?
- Por quê?
- Você já sentiu alguma vez essas emoções ou alguma parecida?

Maria tem em casa um gato que seu irmão mais velho recolheu da rua. Ela adora cuidar e brincar com ele. Mas, hoje, o gatinho subiu em sua cama e, com as unhas, destruiu os lençóis.

Reflita sobre as seguintes perguntas

- Quais são os sentimentos de Maria pelo gatinho?
- Por quê?
- Você já sentiu alguma vez esses dois sentimentos ao mesmo tempo? Quando?

Análise do problema

Assim como você aprendeu nas atividades anteriores, às vezes, uma mesma situação pode nos provocar emoções diferentes, inclusive contraditórias, como na primeira história que acabamos de ler, quando a família deve se sentir triste pela morte do avô de Luís, mas também aliviada porque ele deixou de sofrer.

Qualidades e ações

Descrição

É difícil conhecer as qualidades próprias e as dos demais, mas levar em conta os atos das pessoas e os nossos pode nos ajudar.

Relacione as seguintes qualidades com as ações que as caracterizam.

QUALIDADES	AÇÕES
1 - Afetuosa	A - Age com justiça.
2 - Agradecida	B - Age sem se alterar.
3 - Altruísta	C - Ajuda os demais desinteressadamente.
4 - Amável	D - Busca a paz.
5 - Boa	E - Compreende e respeita os atos e sentimentos dos outros.
6 - Compassiva	F - Confia e inspira confiança.
7 - Compreensiva	G - Não causa danos aos demais.
8 - Comunicativa	H - Pratica a generosidade.
9 - Confiável	I - Pratica a tolerância.
10 - Generosa	J - Sabe dar carinho.
11 - Justa	K - Sabe agradecer.
12 - Nobre	L - Sabe esperar.
13 - Paciente	M - Sabe o que quer.
14 - Pacífica	N - Sabe respeitar os outros.
15 - Respeitosa	O - Comporta-se com educação e afeto com os demais.
16 - Responsável	P - Sempre age sem maldade nem segundas intenções.
17 - Segura	Q - Sempre está disposta a ajudar os demais.
18 - Auxiliadora	R - Sente pena por quem sofre.
19 - Tolerante	S - Tem facilidade para se comunicar com os outros.
20 - Tranquila	T - Tem responsabilidades.

Reflita sobre as perguntas seguintes

- Com quais qualidades você se identifica mais?
- O que você faz para ser assim?

Respostas:

1-J; 2-K; 3-C; 4-O; 5-G; 6-R; 7-E; 8-S; 9-F; 10-H; 11-A; 12-P; 13-L; 14-D; 15-N; 16-T; 17-M; 18-Q; 19-I; 20-B.

1. (Modificado de Carpena, A. (2001) Educació socioemocional a primària. Vic: Eumo.)

Quantas emoções!

Objetivo

Relacionar emoções com acontecimentos do dia a dia.

Descrição

Escreva em uma folha à parte, seguindo a ficha de recolhimento de informaçõesque lhe propomos, a emoção que sentiria diante de cada uma dessas situações.

1. Está andando de patins e cai.

2. Tem um pesadelo e acorda assustado.

3. Seu colega pega seu lápis porque ele perdeu o dele.

4. Seu cachorro morreu.

5. Não fez direito um exercício na aula.

6. Sua avó vem buscá-lo na porta do colégio.

7. Cai no pátio e se machuca.

8. Esquece em casa o sanduíche para o recreio, não pode ir buscá-lo e tem fome.

9. A professora elogia um trabalho seu diante da classe.

10. Você discute com seu melhor amigo.

> **Material:** cópia do quadro ou lista com 10 situações diferentes.
> **Participantes:** um ou vários.
> **Idade:** a partir de 8 anos.

Situações	Alegria	Tristeza	Ira	Medo	Vergonha	Amor
1						
2						
3						
4						
5						
6						
7						
8						
9						
10						

Muitas diferenças!

Descrição

Cada emoção nos provoca uma expressão diferente: choramos, rimos, gritamos, suamos, etc. Cada pessoa reage de forma diferente em função de como valoriza a situação vivida.

Surpresa

Raiva

Vergonha

Tristeza

Arrependimento

Ira

Lembre-se

Uma mesma pessoa não reage sempre de forma igual diante da mesma emoção e, além disso, pode reagir de maneira parecida diante de emoções distintas.

Estou satisfeito.

Festejo com meus amigos!

Pulo de alegria!

Ganhei um prêmio!

A seguir, em uma folha à parte e seguindo o modelo da ficha que propomos, escreva três formas suas de reagir diante de cada uma das emoções expostas:

Minhas emoções	Minhas reações
Alegria	1. 2. 3.
Tristeza	1. 2. 3.
Medo	1. 2. 3.
Ira	1. 2. 3.
Vergonha	1. 2. 3.
Surpresa	1. 2. 3.

Agora, faça o mesmo, mas consultando três pessoas próximas de você:

Emoções	Pessoa 1	Pessoa 2	Pessoa 3
Alegria			
Tristeza			
Medo			
Ira			
Vergonha			
Surpresa			

Lembre-se...

Como você se sentiria se não pudesse fazer uma excursão porque ficou doente?

Que raiva, não posso ir!

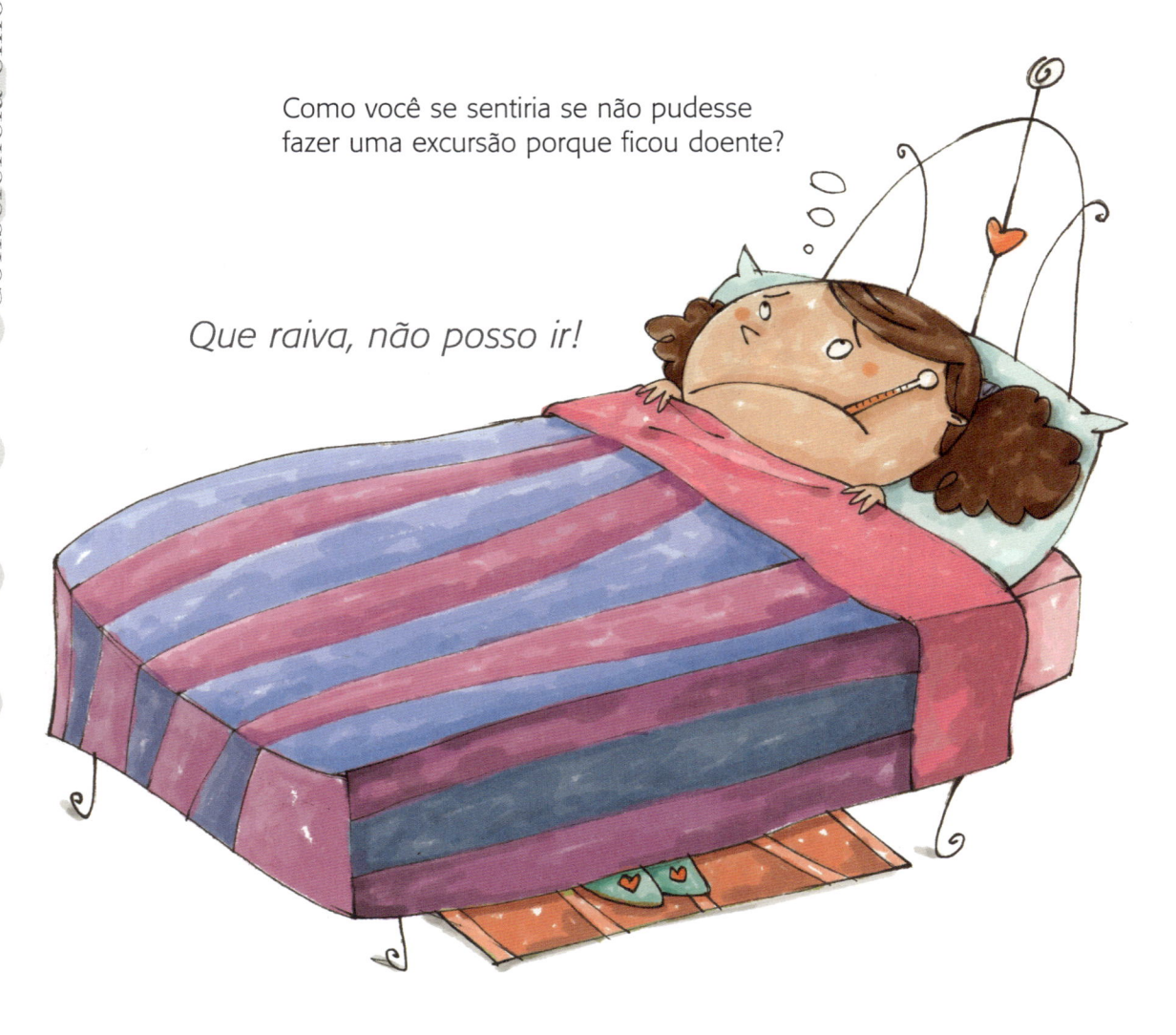

Como você se sentiria se seu melhor amigo fosse viver em outra cidade?

Como você se sentiria se seu irmão caçula estragasse sua lição de casa porque quer brincar com você?

Como você se sentiria se tivesse de fazer uma peça de teatro em público e seus pais fossem vê-lo?

Como você se sentiria se tivesse pegado sem permissão de seus pais algo que eles o proibiram de levar ao colégio?

Como você se sentiria se fizesse um trabalho para a escola muito bem-feito?

Como você se sentiria se tivesse febre?

Como você se sentiria se no seu aniversário não lhe dessem o que você esperava?

Como você se sentiria se desse um desenho para sua professora e ela ficasse muito feliz?

Como você se sentiria se seus pais o levassem para excursionar em um lugar de que gosta muito?

Lembre-se

Não há respostas certas ou erradas.
Todas as emoções são boas e necessárias.

Adequação emocional

A adequação emocional é a capacidade para administrar as próprias emoções e as emoções das outras pessoas de forma apropriada. A adequação emocional é uma boa estratégia frente às situações críticas e de conflitos, como quando alguém se sente atacado, criticado, insultado, provocado, etc. Diante dessas situações, tendemos a atacar da mesma maneira em que nos sentimos atacados. No entanto, isso pode ser perigoso. Se alguém o insulta e você responde também com ofensas, isso pode gerar um conflito de consequências imprevisíveis.

Muitas vezes, é preferível saber adequar as emoções e esperar o momento oportuno para falar. A adequação emocional também é a capacidade de autogerar emoções positivas. Uma emoção positiva pode ser, por exemplo, decidir que vai estar de bom humor por vontade própria. Isso é melhor que estar de mau humor sem saber o porquê. Curiosamente, há muitas pessoas que estão frequentemente de mau humor e não sabem o porquê. Uma das emoções que causam maiores problemas é a ira. Quando falamos da ira, nos referimos a um conjunto de emoções como a raiva, o aborrecimento, a cólera, o ódio, etc. Quando sentimos essas emoções, temos uma vontade muito forte de atacar, gritar, insultar, bater, maldizer, etc. A adequação emocional consiste em saber nos manter em nosso lugar, de forma apropriada.
Isso significa saber esperar, manter a calma, "contar até dez" antes de dizer alguma coisa, respirar profundamente...

... Somente assim se demonstra capacidade de adequação emocional. A ira tem múltiplas formas: raiva, cólera, rancor, ódio, fúria, indignação, ressentimento, aversão, aspereza, hostilidade, aborrecimento, ciúmes, inveja, desprezo, rejeição, receio, etc. A consciência emocional nos leva a identificar de que tipo se trata.

Qualquer das formas em que se possa experimentar a ira leva à violência. Muitas vezes, a violência é consequência da ira mal resolvida. Está aí a grande importância da adequação emocional. A capacidade de controlar a ira é uma das melhores estratégias para prevenir a violência. Somente por isso, deveria ser obrigatório às escolas e às famílias aprender a lidar com a ira. Porém, isso é muito difícil: necessita-se de muito tempo, esforço e treinamento. Mas, com interesse, esforço e dedicação pode-se aprender. Outro sentimento mais frequente do que gostaríamos é a frustração, que surge quando não alcançamos um objetivo muito desejado. Ela é inevitável, vamos experimentá-la em algum momento. Há pessoas que não suportam a mínima frustração, o que ocasiona muitos problemas. É importante aprender a tolerá-la. Isso não significa resignar-se, mas sim aceitar os fatos e não explodir ou se desesperar diante do menor contratempo. Isso é adequação emocional. É perseverar para alcançar os objetivos apesar das dificuldades. A perseverança implica tolerância à frustração, adequação emocional, vontade e entusiasmo para continuar tentando apesar das dificuldades. Muitas vezes, a perseverança é a base do êxito.

A adequação emocional é essencial quando se interage com outras pessoas, como acontece com os colegas de classe. É essencial saber escutar, não se precipitar, formular perguntas, aceitar silêncios, introduzir estratégias de melhoria do clima emocional, etc. Neste capítulo, você vai realizar muitos exercícios que o ajudarão a adequar melhor as emoções e, assim, será capaz de prevenir conflitos e se sentirá melhor.

Vamos aprender a nos acalmar

Objetivo

Identificar diferentes maneiras de se acalmar.

Descrição

Às vezes nossas reações não são as mais adequadas porque estamos irritados. O desejável seria saber expressar as emoções de forma positiva e evitar conflitos maiores.

Com certeza você, às vezes, se irrita. A ira é uma emoção universal e comum entre as pessoas, ainda que ocasionalmente possa trazer problemas e complicar um pouco a vida...

Reflita com base nas seguintes perguntas

- Você sabe como se acalmar?
- O que faz para não se irritar?
- Gostaria de aprender a se acalmar?

A seguir explicaremos várias estratégias para aprender a se acalmar.

1- Deixe passar o tempo

Às vezes é bom contar até dez ou até mil, de acordo com o nível de raiva que temos. Depende de cada pessoa e de cada situação, não há um tempo certo nem errado. Muitas vezes temos de deixar passar dias inteiros antes de responder à pessoa que fez você se sentir irritado.

Material: papel e lápis.
Participantes: individual ou em grupo.
Idade: recomendável a partir de 10 anos.

- Aproveite para se distrair fazendo alguma coisa de que você goste e pensando em outras coisas.
- Aceite a responsabilidade/culpa que tem ao se irritar com alguém.
- É sabido que dois não brigam se um não quer. Ajuda muito pensar se fizemos algo mau para que um amigo nos fira. Se compreendermos (o que não é fácil) que tampouco nós agimos corretamente, será mais fácil fazer as pazes.

2- Atitude positiva, otimismo, bom humor

As pessoas otimistas são aquelas que costumam ver o lado bom das coisas. Quando a pessoa se sente feliz, não tem vontade de irritar ninguém Também é bom aceitar brincadeiras, mas não as ofensas. Muitas piadas surgem de infortúnios.

3- Pensar as coisas de outra maneira

Às vezes, as coisas não são o que parecem e, por isso, devemos vê-las de outra maneira. Se mudarmos a maneira de pensar sobre o problema, ele desaparece.

4- Procurar soluções para os problemas

Se tivermos um problema e ele tiver solução, deve-se buscá-la.

Os seguintes passos podem ajudá-lo:

- Primeiro, pense em várias soluções.
- Segundo, procure vantagens e desvantagens para cada solução.
- A seguir, escolha a solução que tenha mais vantagens e menos inconvenientes.
- Depois de um tempo, pense se você se equivocou ou não. É muito IMPORTANTE entender que errar é uma das melhores coisas que podem nos acontecer para aprendermos.

5- Respiração e relaxamento

Se soubéssemos relaxar, nosso nível de tensão se reduziria. Para relaxar, é importante aprender a respirar. A música é um bom método para conseguir.

Vamos ver se você consegue relacionar, usando flechas, cada frase com as estratégias adequadas para se acalmar:

Frases	Estratégias
1- Consultar o travesseiro	A- Relaxamento e respiração
2- Respirar fundo várias vezes	B- Mudar a maneira de pensar
3- Há males que vêm para o bem	C- Deixar o tempo passar
4- Pensar no problema de outro ponto de vista	D- Atitude positiva
5- Faço tudo certo?	E- Procurar soluções para os problemas
6- Qual é a melhor solução?	F- Aceitar parte da responsabilidade

Respostas: 1-C; 2-A; 3-D; 4-B; 5-F; 6-E.

O grande rei conquistador

Adequação emocional

Objetivo

Aprender a controlar os impulsos emocionais, isto é, a regular a impulsividade.

Descrição

Preste atenção no conto clássico e popular que descrevemos a seguir: a história que aconteceu com um grande rei conquistador.

Mais ou menos pelo ano de 1200 viveu Gêngis Khan, que era um poderoso guerreiro, mas muito boa pessoa.
A história que segue narra um problema que ele teve; ainda que pareça impossível, nós também passamos pelo mesmo problema agora, muitos anos mais tarde.

A história se intitula *O rei e seu falcão* e começa assim:

Gêngis Khan (1162–1227), cujo império mongol se estendia desde o leste da Europa até o Mar do Japão, chegou um dia, junto com seu exército, à China e à Pérsia, e conquistou muitas terras. Em todos os países, os homens se referiam às suas façanhas, e contavam que desde Alexandre, o Grande, não havia existido um rei como ele.

Uma manhã, quando descansava de suas batalhas, saiu para cavalgar pelos bosques. Muitos de seus amigos o acompanhavam. Cavalgavam jovialmente, levando seus arcos e flechas. Seus criados os seguiam com cães; era um alegre passeio. Seus gritos e risadas ressoavam no bosque e esperavam caçar muitas presas. No pulso, o rei levava seu falcão favorito, pois, nesses tempos, adestravam-se os falcões para caçar. Com apenas uma ordem de seus donos, voavam e buscavam as caças, do ar. Se vissem um veado ou um coelho, lançavam-se sobre ele com a rapidez de uma flecha. Durante todo o dia, Gêngis Khan e seus caçadores atravessaram o bosque, mas não encontraram tantos animais como esperavam e, ao anoitecer, voltaram.

O rei cavalgava muito pelos bosques e conhecia todas as trilhas. Assim, enquanto os outros iam pelo caminho mais curto, ele escolheu um caminho mais longo por um vale entre as montanhas. Era um dia quente e o rei tinha sede. Seu falcão favorito estava voando e, sem dúvida, encontraria o caminho de volta. O rei cavalgava devagar e, em uma ocasião, havia visto um manancial de águas claras próximo dessa trilha. "Seria bom se pudesse encontrá-lo agora!" Mas os tórridos dias de verão tinham secado todos os mananciais.

Por fim, para sua alegria, viu água gotejando de uma rocha. Sabia que havia um manancial mais acima. Durante a temporada de chuvas, sempre corria por ali um rio muito caudaloso, mas agora caíam somente umas gotas. O rei desceu do cavalo, tomou um cálice de prata de seu embornal e o segurou para recolher as gotas que caíam com lentidão.

O cálice tardava muito em encher, e o rei tinha tanta sede que mal podia esperar. Quando o cálice se encheu, o rei o levou aos lábios e se dispôs a beber. De repente, escutou um assobio no ar, e tiraram o cálice de suas mãos. A água foi derramada. O rei ergueu os olhos para ver quem havia sido. Era seu falcão.

Material: papel e lápis.
Participantes: individual ou em grupo.
Idade: recomendável a partir de 10 anos.

O falcão voou de um lado para o outro várias vezes e, por fim, pousou nas rochas, nas margens do manancial. O rei recolheu o cálice e, de novo, começou a enchê-lo. Dessa vez, não esperou tanto tempo. Quando o cálice estava cheio pela metade, o aproximou da boca. Mas assim que tentou beber, o falcão pousou em cima dele e puxou o cálice de suas mãos. O rei começou a ficar irritado. Tentou de novo e, pela terceira vez, o falcão impediu que ele bebesse. O rei ficou furioso: "Como você se atreve a agir assim? Se eu o agarro, torço seu pescoço!". Encheu o cálice de novo. Mas, antes de beber, desembainhou a espada: "Amigo falcão, esta é a última vez". Não havia terminado de pronunciar essas palavras, o falcão novamente puxou o cálice de suas mãos. Mas o rei já esperava por isso. Com uma rápida estocada, abateu a ave. O pobre falcão caiu, sangrando, aos pés de seu amo. "Agora recebeu o que merecia!" disse Gêngis Khan. Mas, quando foi recolher seu cálice, descobriu que ele havia caído entre duas pedras e não podia retirá-lo dali. "De um modo ou outro, beberei a água dessa fonte" disse para si mesmo.

Decidiu escalar a íngreme costa que conduzia ao lugar de onde gotejava a água. Era uma subida cansativa, e quanto mais ascendia, mais sede tinha. Finalmente chegou ao lugar. Ali havia, realmente, uma poça de água. Mas, o que havia na poça? Uma enorme cobra morta, da espécie mais venenosa. O rei se deteve. Esqueceu a sede. Pensou somente no pobre pássaro morto. "O falcão me salvou a vida! E como lhe recompensei? Era meu melhor amigo, e o matei!" Desceu a encosta, segurou suavemente o pássaro e o colocou em seu embornal. Montou seu cavalo e voltou depressa, dizendo a si mesmo: "Hoje aprendi uma lição, nunca se deve agir motivado pela fúria".

Vamos ver se acerta as respostas

1 Como se chamava o rei: Gêngis Khan ou Gêngis Man?
2 Que tipo de ave ele carregava no braço?
3 De que material era o cálice do rei: de ouro ou de prata?
4 Quantas vezes o falcão derramou a água do rei: duas ou três?
5 Como o rei considerava o falcão: o companheiro de caça ou o melhor amigo?
6 Como era a cobra que estava na poça de água: venenosa ou verde?
7 O que você acha que o rei aprendeu? Que nunca se deve agir impulsionado pela ira ou que a água da montanha não pode ser bebida?

Agora pense na história

- O que você acha que Gêngis Khan sentia quando não podia beber água?
- Qual foi o erro dele, em sua opinião?
- Alguma vez já aconteceu de você estar irritado e fazer ou dizer algo de que depois se arrependeu? Por exemplo, quando seus pais não deixam que você assista à televisão por mais tempo porque você tem de dormir, etc.
- Como você se sente?
- O que você faz depois?

Lembre-se

Quando estamos irritados ou com raiva, é melhor não agir imediatamente, porque seríamos capazes até de fazer muito mal ao nosso melhor amigo. É aconselhável deixar passar um tempo e pensar em todas as estratégias que conhece para se acalmar, a fim de poder deixar de sentir ira ou raiva e agir corretamente.

O semáforo

Objetivo
Adquirir uma estratégia para adequar as emoções negativas.

Descrição

Observe o semáforo desenhado; você pode desenhar o seu próprio, em cartolina ou outro papel.
A partir de agora, cada vez que você enfrentar uma situação que o irrite, que o faça ficar muito aborrecido ou que o faça se exaltar, olhe para o semáforo e identifique-se com as fases que ele representa.

1. Em primeiro lugar, pense na luz vermelha e pare. Não grite, não insulte, nem agrida. Reflita por alguns segundos.

2. Em segundo lugar, pense na luz amarela dos semáforos. Nessa fase, você deve respirar fundo até que possa pensar com clareza. Quando conseguir, poderá passar para a luz verde.

3. Nesse ponto, você deve dizer aos demais que problemas tem e como se sente para tentar encontrar uma solução.

Material: papel e lápis.
Participantes: indvidual ou em grupo.
Idade: recomendável a partir dos 10 anos.

Vamos ver como age Alberto:

O irmão de Alberto pegou seu rádio emprestado, mas Alberto não gosta que peguem suas coisas sem sua permissão.

Ele fica muito irritado e está a ponto de insultar o irmão.

Mas, antes disso, Alberto lembra-se desta atividade e pega o semáforo.

Olha para ele atentamente e para, como indica a cor vermelha.

Depois, respira fundo, como indica a cor amarela.

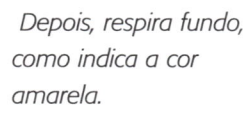

Por último, pensa na cor verde e diz para o irmão que, por favor, quando quiser pegar algo emprestado, antes lhe peça permissão.

Alberto diz isso sem gritar, tranquilo, e o irmão, ao ver que se trata de algo importante para Alberto, escuta-o; a partir daí, não pega mais suas coisas sem antes pedir.

Orientações para os educadores

Os adultos também podem fazer essa atividade e, diante de um aborrecimento por algo que a criança tenha feito, segurar o semáforo e ir assinalando as fases que vão passando. Servirá para mostrar à criança que esse exercício é útil para controlar suas próprias emoções.

Trabalho em grupo

Representar situações de conflito entre várias pessoas e utilizar o semáforo para resolvê-las.

Respire e relaxe

Objetivo
Aprender a relaxar.

Descrição

Agora, vamos nos sentar ou deitar comodamente e tentaremos relaxar. Podemos deitar em um colchonete ou na cama.

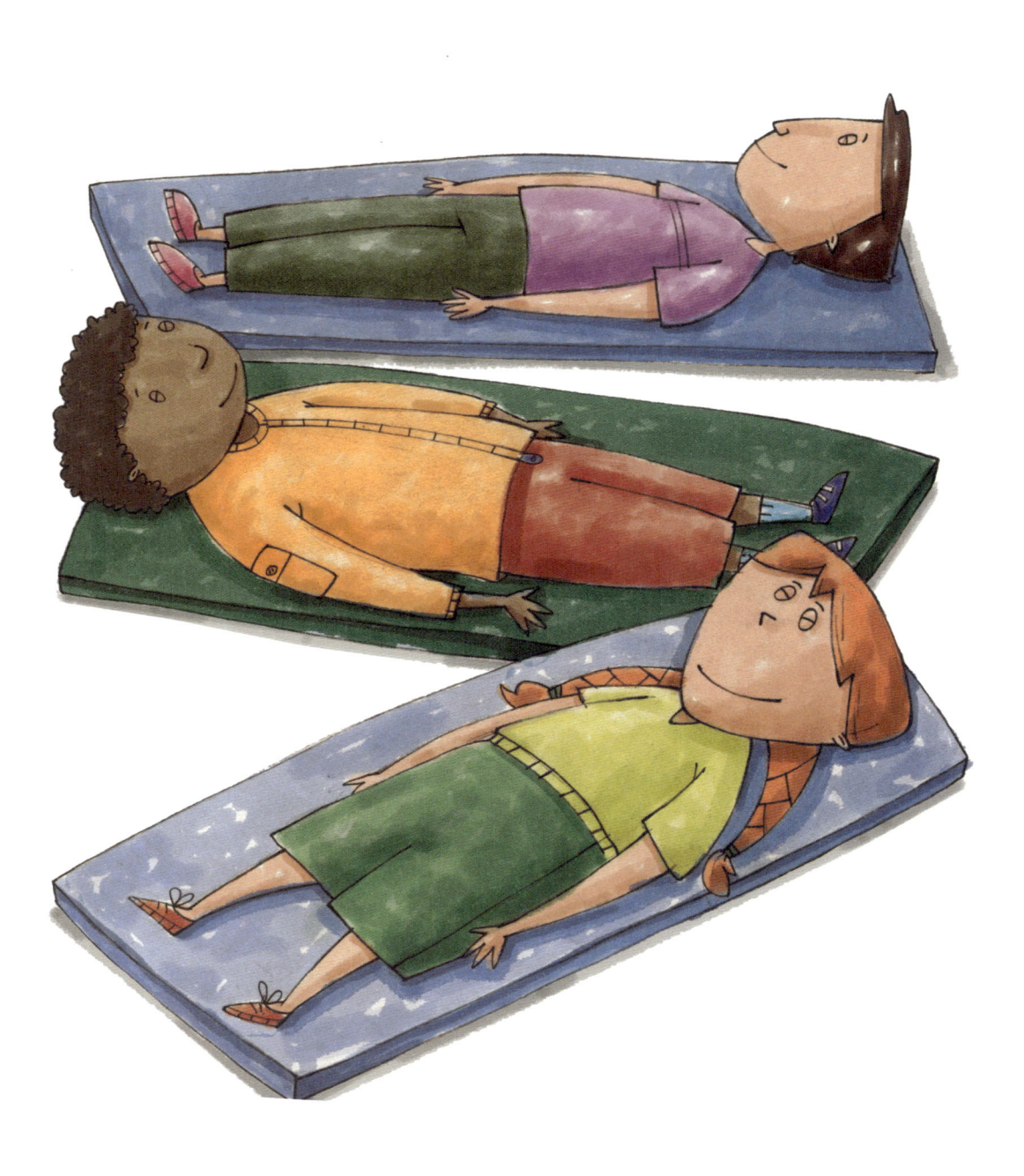

Para relaxar, é importante respirar corretamente. Os pais ou educadores podem ir dizendo, tranquilamente: "inspire", "expire", em tom suave e rítmico. "Agora vamos relaxar". Para realizar esse exercício, podemos colocar uma música relaxante de fundo.

> **Material:** colchonete.
> **Participantes:** duas pessoas, no mínimo, uma para ler o texto.
> **Idade:** especialmente adequada para crianças a partir dos 8 anos.

- Relaxo meu corpo, tomando consciência dele... sinto a cabeça, sinto o pescoço.
- Sinto o braço direito, o antebraço direito, o pulso direito, a mão direita e cada um dos dedos: mindinho, anelar, médio, indicador e polegar. Especialmente o polegar, sinto seu peso e relaxo.
- Sinto o braço esquerdo, o antebraço esquerdo, o pulso esquerdo, a mão esquerda e cada um dos dedos: mindinho, anelar, médio, indicador e polegar. Especialmente o polegar, sinto seu peso e relaxo.
- Sinto as costas, os lugares em que se apoia, sinto a pressão e o peso, sinto como a tensão se dissolve precisamente nos pontos de apoio. É como se minha tensão passasse para o chão graças aos pontos em que noto o apoio da cabeça, dos braços, das costas e das pernas.
- Sinto a perna direita, a coxa, o joelho, o tornozelo, o pé, o calcanhar do pé direito e relaxo.
- Sinto a perna esquerda, a coxa, o joelho, o tornozelo, o pé, o calcanhar do pé esquerdo e relaxo.
- Minha respiração é tranquila, muito tranquila. Com cada respiração, meu corpo se relaxa mais e mais; mais relaxado, mais descansado.
- Tomo consciência desse estado e o guardo em minha memória.
- Tomo consciência desse estado de calma física, de tranquilidade emocional, de serenidade mental.
- Preparo-me para terminar o exercício, conservando todos os benefícios, conscientes ou inconscientes, que ele me traz. Contamos lentamente 1... 2... 3...
- Abro e fecho as mãos lentamente, tomando consciência das pequenas articulações dos dedos.
- Tomo ar com mais intensidade... realizando uma respiração profunda e abro os olhos, conservando o estado de relaxamento e calma alcançado com esse exercício.

Bumerangue

Objetivo

Aprender a controlar a inveja e contribuir com um mundo melhor.

Descrição

Outro dia, contaram-me uma história de que eu gostei muito. Agora vou contá-la a você.

Um homem tinha um jardim cheio de flores lindas. Eram as flores mais vendidas do país, todas as pessoas do mundo sabiam e queriam comprá-las. Eram as flores mais bonitas e as que tinham melhor perfume no mundo todo. Todos os anos, ele ganhava o prêmio das flores maiores e de melhor qualidade; toda a região as admirava.

Um dia, uma jornalista perguntou
ao homem qual era o segredo de seu êxito.

O senhor respondeu:

– Meu êxito se deve a que, em cada cultivo, separo as melhores sementes
e as divido com meus vizinhos para que eles também as semeiem.

– Como? – disse a jornalista. – Isso é uma loucura! Não tem medo de que
seus vizinhos tornem-se famosos como o senhor e fiquem com os prêmios?

O senhor respondeu:

– Faço isso porque, se eles semeiam bem, o vento e as abelhas devolverão
para o meu cultivo bom pólen e boas sementes, e assim a colheita será
melhor. Se não fosse assim, eles espalhariam sementes de má qualidade e o
vento as levaria até a minha plantação. As sementes deles cruzariam com as
minhas e fariam com que minhas flores fossem de pior qualidade.

Reflita sobre o texto

- Você ficou surpreso ao saber que o senhor das flores compartilhava as melhores sementes com os vizinhos?

NADA	POUCO	REGULAR	BASTANTE	MUITO

Se você se surpreendeu, deve saber que é NORMAL: uma das razões para isso pode ser que não estamos acostumados a compartilhar. O que não significa que não possamos nos acostumar cada dia um pouco mais, se tentarmos de verdade.

- O senhor das flores era muito rico.
  É possível que alguém tivesse inveja dele?

NÃO	POUCA	REGULAR	BASTANTE	MUITA

Se você pensou que alguém poderia ter inveja do senhor das flores, deve saber que é NORMAL. A inveja é uma emoção bastante comum. Pode ser que essa história que acabamos de contar o ajude a entender que a inveja não é necessária nem conveniente; ao contrário, se ajudamos os demais é melhor para todos.

Reflita sobre as seguintes perguntas

- Quando você ajuda alguém, espera algo em troca?
- Acredita que pode melhorar o mundo com o que faz?

NUNCA	ÀS VEZES	SEMPRE

Análise do problema

Normalmente, ainda que de forma inconsciente (sem pensar), quando ajudamos alguém, esperamos algo em troca. Por exemplo, quando presenteamos alguém, esperamos que também nos deem algo mais adiante. Isso é assim porque, na maioria das vezes funciona assim, mas não é obrigatório e sofreríamos menos se, quando damos ou ajudamos alguém, pensássemos: "ainda que ele não me ajude ou não me presenteie, estarei feliz pois ESTOU FAZENDO ISSO PORQUE QUERO".

Lembre-se

Você é como um importante grãozinho de areia que pode contribuir para que o mundo seja melhor ajudando os outros. Se todos fizéssemos o mesmo que o senhor das flores...

Positivo e negativo

Descrição

Normalmente, quando as coisas não saem como nós queremos, sentimos raiva, mas isso não significa que seja mau.

Reflita sobre este exemplo

Você economizou para comprar um jogo que há muito tempo desejava. Quando chega à loja, dizem que terá de esperar pelo menos um mês para tê-lo, já que houve um problema na fabricação e não voltarão a distribuí-lo dentro dos próximos 30 dias, isso se conseguirem solucionar o problema. Inclusive, pode ser que nem voltem a fabricá-lo.

Então, você encontra um amigo, conta o problema a ele e ele lhe diz alguma das seguintes frases:

– *Que azar! Eu estaria desesperado.*

– *Você esperou tanto tempo e agora terá de esperar mais, e não é certeza que terá o jogo.*

– *Já percebeu que tudo acontece com você? Que azar que você tem!*

– *É melhor se conformar e pensar que nunca terá o jogo.*

– *Bom, o que fazer? Fique tranquilo.*

Então, você chega em casa e encontra outro amigo que veio procurá-lo. Você conta a ele o que passou e ele lhe diz uma das seguintes frases:

– Que azar! É natural que esteja com raiva, aborrecido e triste. Você economizou por muito tempo para comprar esse jogo.

– Comigo já aconteceu uma coisa parecida: uma vez queria assistir a um filme e não o encontrei de nenhuma forma para assisti-lo, até agora não o vi.

– De todas as formas, pode ser que dentro de um mês voltem a receber o jogo. Se não, procure em outras lojas, por exemplo, aquelas de segunda mão. Também podemos enviar um e-mail aos nossos amigos para ver se alguém sabe onde encontrar o jogo.

– Bem, pense pelo lado positivo: já passou tanto tempo sem ele, esperar mais um mês será fácil.

– Pense que cada vez brincamos menos com esse jogo. Agora você tem dinheiro e poderá comprar outro melhor.

– Não se preocupe com coisas materiais como esse jogo; o melhor é que você tem muitos amigos e, além disso, aprendeu a economizar e a esperar.

– Com certeza, se você explicar para os seus pais, eles o ajudarão.

Se acontecesse com você algo parecido, com quem você gostaria de encontrar: o primeiro amigo ou o segundo? Por quê?

Reflita sobre as perguntas seguintes

- Quando você se encontra com uma pessoa que tem algum problema, como você age?
- Acredita que tudo tem solução? E se não tem, o que podemos fazer?

Com os problemas que têm solução, devemos procurá-la, e com os problemas que não a têm, não devemos nos preocupar.

Análise do problema

É importante nos esforçar para compreender o que as pessoas sentem quando nos contam um problema, e depois ter uma atitude otimista e positiva para animá-las a solucioná-lo.

Má sorte?
Boa sorte?

Objetivo

Aprender que, diante de um acontecimento que a princípio parece negativo, não há necessidade de se desesperar, porque pode ser que, no futuro, isso seja positivo. Isso se consegue mudando a maneira de pensar sobre as coisas.

Descrição

Leia o seguinte conto de um autor desconhecido.

É uma história chinesa que fala de um lavrador ancião que tinha um velho cavalo para lavrar os campos.

Um dia, o cavalo escapou para as montanhas. Quando os vizinhos do ancião se aproximavam para consolá-lo e lamentar a desgraça, o ancião repetia:
— Má sorte? Boa sorte? Quem sabe?

Uma semana depois, o cavalo regressou acompanhado por uma tropa de cavalos selvagens. Então, os vizinhos felicitaram o lavrador pela sua boa sorte. E ele respondeu:
— Má sorte? Boa sorte? Quem sabe?

Material: conto chinês.
Participantes: duas pessoas, no mínimo, uma para ler o texto.
Idade: especialmente adequada para crianças a partir de 8 anos.

Quando o filho do lavrador tentou domar um daqueles cavalos selvagens, caiu e quebrou uma perna. Todo mundo considerou isso uma desgraça. Mas o lavrador se limitou a dizer:

– Má sorte? Boa sorte? Quem sabe?

Algumas semanas mais tarde, o exército foi até o povoado e recrutou todos os jovens que estavam em boa condição. Quando viram o filho do lavrador com a perna quebrada, deixaram-no tranquilo. Má sorte? Boa sorte? Quem sabe?

Reflita sobre as perguntas seguintes

- Alguma vez você já passou por alguma coisa que parecia muito ruim e depois viu que havia sido bom que aquilo aconteceu? Conte como foi.
- É verdade que de alguma coisa má surge outra boa?

Análise do problema

Tudo o que parece mau à primeira vista pode ser que depois não o seja; e, já que não sabemos do futuro, não deveríamos nos preocupar muito, nem nos aborrecer e nem ficar tristes.

Faço tudo perfeitamente?

Objetivo
Aceitar parte da responsabilidade/culpa nos conflitos.

Descrição

Podemos afirmar que em um conflito, por exemplo, quando duas pessoas ficam irritadas, nunca é culpa só de uma. Pode ser que uma tenha mais culpa que a outra, mas em poucos casos somente um tem toda a responsabilidade.

Aceitar a responsabilidade no conflito ajuda a crescer emocionalmente.

Agora você lerá vários exemplos de conflitos. Vamos ver se você consegue identificar que as duas pessoas que intervêm têm sua parte de responsabilidade.

Exemplo 1:

1

1. Maria pede, por favor, ao irmão, Jorge, que a deixe usar seu aparelho de CD e ele diz que não.

2. Cinco minutos mais tarde, Jorge sai com um amigo, e Maria pega o aparelho de CD e o utiliza.

3. Quando Jorge chega, encontra um CD de Maria dentro do aparelho. Então, percebe que a irmã usou o aparelho e fica muito bravo com ela.

Pense no seguinte

- A culpa é toda de Maria por utilizar o reprodutor de CD sem permissão?
- Por que Jorge não o emprestou se não iria usá-lo naquele momento?

Exemplo 2:

1. Ângelo diz para o amigo que segure sua pasta porque quer ir jogar um pouco de futebol.

2. Quando acaba a partida, os dois vão para casa, mas o amigo de Ângelo não se lembra de devolver a pasta, e Ângelo não pôde fazer os deveres que estavam guardados nela.

3. No dia seguinte, a professora dá uma bronca nele por não ter trazido os deveres feitos. Como consequência, ele fica muito irritado com o amigo porque não lhe devolveu a pasta.

Reflita sobre as perguntas seguintes

- O amigo de Ângelo é o único culpado por se esquecer de devolver a pasta?
- De quem era a pasta? Quem quis jogar futebol?

Exemplo 3:
Este exemplo fala dos pais.

1. Há 15 dias, Marta e Carlos foram ao médico porque Carlos reclamou de dor nas costas. O médico marcou data e hora para fazer um exame específico.

2. Carlos disse para Marta que marcasse a data e a hora na agenda. Marta fez isso, mas marcou no dia errado.

3. Quando chegaram ao consultório do médico, a enfermeira disse que aquele dia o médico não tinha horário, então se deram conta do erro: a data já havia passado.

Reflita sobre as perguntas seguintes

- Toda a culpa é de Marta por se equivocar na hora de marcar a data na agenda?
- Carlos não poderia ter ele mesmo marcado a data e a hora? Quem tinha dores nas costas?

Lembre-se

Nos conflitos cotidianos, a culpa nunca é de um só e é necessário reconhecer isso para não nos irritarmos. No caso de nos irritarmos, reconhecer nossa parte de responsabilidade também nos ajuda a fazer as pazes.

É verdade?

Objetivo

Refletir sobre nossa maneira de pensar. Se mudarmos a maneira de pensar, o problema pode desaparecer.

Descrição

Agora vamos tentar mudar nossa maneira de pensar com base em um exemplo.

Imagine que Manuel lhe diga: "Sabe, acho que João (outro colega) não gosta de mim". Você sabe que isso não é verdade, o que acontece é que João é muito brincalhão e às vezes extrapola com Manuel.

Você poderia seguir os passos seguintes para mudar a maneira de pensar de Manuel

1 Perguntar: "Em que você está se baseando para dizer isso?", e tentar fazê-lo entender que isso não é verdade.
2 Perguntar: "Como você se sente pensando que João não gosta de você?". Com certeza isso provoca nele angústia e ansiedade, o que não é bom.
3 Perguntar: "De que serve pensar assim? Não adianta nada, só o faz sofrer".
4 Perguntar: "O que você me diria se eu lhe contasse o mesmo problema que você está me contando?". Ensine-o a dizer para si mesmo o que diria a um bom amigo que tivesse esse problema.

Não acha que Manuel sairia ganhando se tentasse falar com João em vez de pensar coisas que não tem certeza de que são verdadeiras, e tentasse ser seu amigo?

Mas há algo que devo dizer:

Se João não quer ser seu amigo, depois de Manuel ter ido falar com ele, Manuel não deve se preocupar, porque ninguém pode obrigar o outro a ser seu amigo. Há muitos meninos e meninas no mundo.

Orientações para o educador
As perguntas que abarcam essa atividade podem ser respondidas oralmente, ou deixe que a criança as escreva em um papel e as comente depois.

Autonomia emocional

A autonomia emocional é uma competência ampla, que inclui a autoestima, a autoconfiança, a automotivação, a autoeficácia emocional, a atitude positiva diante da vida, a responsabilidade, a capacidade para analisar criticamente as normas sociais, a capacidade para buscar ajuda e recursos, a capacidade para avaliar criticamente as mensagens que recebemos, a capacidade para enfrentar situações adversas, etc. A autonomia emocional favorece a capacidade de gerar em si próprio as emoções convenientes no momento oportuno, o que é muito difícil em situações críticas.

Essa competência facilita para que a pessoa tenha uma imagem positiva de si mesma; valorize as próprias capacidades e limitações; goste-se tal como é; descubra a própria identidade pessoal e social; adote valores e seja capaz de defendê-los e difundi-los; seja capaz de expressar o que sente para si mesma e para os outros; seja capaz de enfrentar situações adversas e confie nas próprias possibilidades; busque ajuda e apoio quando necessite, etc.

A autonomia emocional abre o caminho para a empatia
e o desenvolvimento das competências sociais, já que ser
autônomo emocionalmente implica ter a responsabilidade
de respeitar os demais e desenvolver habilidades
sociais positivas.

Desde o nascimento até os 12 anos, construímos nossa
individualidade, principalmente pelo que vemos os outros
fazerem ao nosso redor: família, professores, amigos, etc.
Se uma criança recebe constantemente a mensagem:
"Você é uma criança muito responsável, faz as coisas
muito bem, sabe escutar os outros...", construirá uma
imagem positiva de si e isso contribuirá para que se sinta
segura emocionalmente, o que ao mesmo tempo favorece
o desenvolvimento e a aprendizagem. Se, pelo contrário,
recebe mensagens como: "Você é uma criança má, não faz
nada direito, não sabe escutar os outros...", essa criança
construirá uma imagem negativa de si, e isso despertará
emoções e sentimentos contraproducentes que poderão
bloquear o desenvolvimento e a aprendizagem.

O conjunto de atividades que é exposto neste capítulo
pretende desenvolver a competência da autonomia
emocional. São 11 atividades nas quais se contemplam
dinâmicas participativas e vivenciais, em que se integram a
reflexão e a informação dos demais, o relaxamento e o
cuidado consigo, o projetar-se recordações, etc. Algumas
perguntas que fazemos para refletir são: Como se sente?
Esta atividade permitiu que você se conhecesse mais? Você
gostaria de mudar algum aspecto seu?

Nas atividades são dadas algumas pautas para orientar
os adultos a fim de que possam contribuir para o
desenvolvimento da autonomia emocional da criança.

Cartão de apresentação

Objetivo

Favorecer a formação da identidade pessoal.

Descrição

Imagine que está diante de pessoas que não o conhecem e desejam conhecê-lo, por isso você quer se mostrar tal como é e se apresentar.

Propomos que elabore seu próprio cartão, como fez Maria.

MARIA

Idade: 8 anos.

Qualidades físicas: cabelo castanho, olhos escuros, nariz pequeno e arredondado, pele branca e 1,30 m de altura.

Qualidades pessoais: simpática, alegre e carinhosa.

Preferências: gosto de música, filmes de terror, pizza e de dormir. Não gosto de que me incomodem e que me façam ficar irritada.

Sonhos: ser veterinária e viajar muito.

Hobbies: ver televisão e filmes. Além disso, tenho muitos amigos e adoro os animais e a natureza.

Faça seu cartão seguindo o exemplo que apresentamos: o protagonista agora é você.

Material: papel e lápis ou caneta.
Participantes: individual; pode-se compartilhar com quem quiser.
Idade: recomendável a partir de 8 anos de idade, que é quando as crianças já formaram a própria identidade.

Orientações para os educadores

Para ajudar a criança a refletir sobre a própria identidade, pode ser útil fazer as seguintes perguntas:

- Foi fácil escrever sobre você?
- Como você se sentiu com essa experiência? Por quê?

Ampliação da atividade

Propomos que pergunte aos colegas de escola, professores, amigos e familiares que aspectos positivos eles valorizam em você e que aspectos eles acreditam que você deveria melhorar. Mostramos abaixo o exemplo de Maria.

	Aspectos positivos	*Aspectos a melhorar*
Colegas de classe	Ajudo os outros	Sou muito teimosa
Professores	Sou muito responsável	Sou um pouco bagunceira
Amigos	Empresto minhas coisas	Sou muito mandona
Família	Sou muito carinhosa	Como muito pouco

**Compartilhe com eles
as seguintes reflexões**

- Como você se sentiu? Contente, surpreendido, satisfeito, etc.? Por quê?
- Há algum tipo de informação sobre você que não esperava? Por quê?
- Foram valores importantes para você? Por quê?
- Essa atividade permitiu que você se conhecesse melhor? Por quê?

Coloque seu "cartão de apresentação" em um lugar visível. Tudo o que você é como pessoa e como os outros o valorizam são coisas importantes para que você possa se sentir especial e querido.

Os aspectos que você deve melhorar podem mudar se desejar. Peça ajuda para as pessoas queridas, se considerar necessário. Você gostaria de mudá-los?

Para ajudá-lo a refletir

Cada pessoa é diferente e isso faz nos sentirmos especiais. Goste-se e aceite-se tal como é, já que você é uma pessoa muito importante; aqueles que o amam confirmarão isso.

Eu me mimo, me sinto, me amo...

Objetivo

Experimentar uma imagem positiva de si mesmo.

Descrição

Sente-se comodamente e feche os olhos; respire de maneira pausada.

1. Imagine que haja diante de você, em outra cadeira, uma pessoa igual a você, é seu retrato vivo. Observe: o rosto, a postura, a roupa que está vestindo, o penteado e outras coisas.

2. Comece a falar interiormente com essa pessoa que está diante de você (que é seu reflexo) e diga para ela coisas agradáveis: Gosto de como você é. Mimo, sinto e amo os pés (as pernas, a barriga, o peito, o pescoço, o rosto, a cabeça). Me mimo, me sinto e me amo. (Realize um percurso por todo o corpo com ajuda de um adulto, que será o guia.

3. Termine a primeira parte do exercício recitando em voz alta a mensagem "me mimo, me sinto, me amo". Pouco a pouco, abra os olhos e permaneça sentado comodamente; pergunte-se como se sente.

Material: música relaxante, se achar necessário.
Participantes: individual.
Idade: recomendável a partir de 10 anos; torna-se mais fácil visualizar a imagem de si mesmo.

3

Orientações para os educadores

O adulto pode fazer diversas perguntas que sirvam para refletir sobre a atividade.

- Como você se sentiu com essa experiência? Relaxado, tranquilo, calmo, nervoso, etc.? Por quê?
- Foi difícil dizer coisas agradáveis? Por quê?
- Você repetiria essa experiência? Por quê?
- Recorde-se dessa experiência e, quando desejar, coloque-a em prática de novo. Você se sentirá muito melhor.

Para ajudar a refletir

Conhecer experiências agradáveis e divertidas farão com que você se sinta melhor. Compartilhe com os entes queridos e eles lhe agradecerão.

Uma canção para mim

Objetivo
Estimular a criatividade e a valorização de si.

Descrição

Feche os olhos, tente recordar uma canção de que você goste muito e cante-a em voz baixa.

Sugerimos que, no lugar de colocar a letra original da canção, você coloque sua própria composição, na qual fale sobre si. Por exemplo, a letra da canção de João é:

Meu nome é João e sou um menino legal.
Gosto de dançar e de cantar.
Adoro escrever e problemas resolver.

Com a música da canção de que você gosta, adicione aspectos pessoais. Se achar necessário, utilize algum instrumento musical que lhe permita acompanhar a letra da canção com a música. Cante-a para você. Se quiser, compartilhe-a com os outros.

> **Material:** música da canção ou algum instrumento musical que acompanhe o ritmo da música
> **Participantes:** individual.
> **Idade:** recomendável a partir de 10 anos.

Orientações para os educadores

Algumas perguntas para refletir:

- Como você se sente quando escuta essa canção?
- Por que escolheu essa canção?
- Foi difícil escrever sua própria canção?

Ampliação da atividade

Você pode convidar amigos ou familiares para que também elaborem suas próprias canções e compartilhem-nas como grandes artistas.

Para ajudá-lo a refletir

A música e as canções são formas de expressar como nos sentimos. Essa atividade permite não só expressar como você se sente, como também tratar de uma forma divertida suas qualidades pessoais.

A caixa

Objetivo
Identificar a importância
de si mesmo.

Descrição

Pegue uma caixa vazia e a
decore como quiser. Imagine
que dentro dela há algo muito
valioso e importante para você.
O que você gostaria que ela
contivesse?

Propomos que vá buscar
um espelho pequeno e o
coloque na caixa. Abra-a
quantas vezes quiser.
O que vê? Quem vê?
É importante?

Se quiser, fale da pessoa que você vê refletida no espelho, isto é, de você mesmo, tal como se vê. Pode fazer o mesmo convidando alguém com quem deseje compartilhar essa experiência.

Material: uma caixa com um espelho dentro.
Participantes: individual; pode-se compartilhar com quem quiser.
Idade: a partir de 7-8 anos.

Orientações para os educadores
Escolhemos algumas reflexões para compartilhar:

- O que pode ser muito valioso?
- O que é valioso para você?
- Por quê?

Para ajudá-lo a refletir
Pode ser curioso descobrir a imagem de si e a importância que se tem como pessoa. Lembre-se de que todos nós somos pessoas valiosas, especialmente você mesmo.

O tesouro das recordações

Objetivo
Descobrir a própria história pessoal.

Descrição

Procure em sua casa todas aquelas coisas que fazem parte de suas recordações. Podem ser fotografias, roupas, desenhos, cartas, brinquedos – desde a infância até o momento presente.

Propomos que tudo aquilo que você encontrou faça parte do tesouro das suas recordações, e que possa mostrá-lo para quem desejar. Reflita sobre o seguinte:

- Por que escolheu esses objetos e não outros?
- Como eles o fazem se sentir?

Esse é o momento para escolher uma dessas recordações:

- Qual você escolheu?
- Por quê?

Autonomia emocional

Pergunte para sua família:
Que recordações trazem esse objeto?
Quem o deu para você?
O que sentia quando tinha esse objeto diante de você?
Que uso fazia desse objeto?

Material: papel e lápis ou caneta, e objetos que façam parte de suas recordações.
Participantes: individual, pode-se compartilhar com quem quiser.
Idade: a partir de 7-8 anos.

Pense no seguinte

- Como você se sente diante dessa experiência? Contente, triste, irritado, surpreendido, feliz.

Orientações para os educadores

É interessante que o adulto também participe da atividade mostrando suas recordações e história pessoal.

Para ajudá-lo a refletir

Os objetos pessoais nos despertam recordações e experiências de nossa vida. É bonito que se possa conhecer a própria história pessoal graças a eles.

Elogiar-se

Objetivo
Fomentar a criatividade e a valorização de si mesmo.

Descrição
Não estamos acostumados a nos elogiar.

Sabe o que quer dizer elogio ou elogiar-se? Elogio quer dizer enaltecer uma pessoa ou coisa. Elogiar-se é enaltecer a si.

Mostramos a estrela de elogios de Rosa.

Sugerimos que você tenha sua própria estrela de elogios como a de Rosa, e a pendure em seu quarto. Pode fazer quantas estrelas de elogios desejar.

Lembre-se de que se elogiar é o melhor presente que se pode dar para si.

Sugerimos uma lista de possíveis elogios:

> **Material:** papel e lápis de cor.
> **Participantes:** individual.
> **Idade:** a partir de 7-8 anos.

Genial

Magnífico

Maravilhoso

Estupendo

Excelente

Incrível

Fenomenal

Bonito

Esplêndido

Simpático

Amável

Orientações para os educadores

É interessante incentivar o uso de adjetivos qualificadores e descritivos que facilitem um melhor conhecimento do elogio e a aplicação dele a si e aos outros.

Ampliação da atividade

Assim como fez com você, faça a dinâmica com alguma pessoa que você ame.

Aconselhamos que, a cada dia, você busque uma oportunidade de elogiar-se e elogiar os demais. Pratique isso no dia a dia.

Para ajudá-lo a refletir

Às vezes, ouvimos coisas de que não gostamos sobre nós mesmos, e isso nos faz sentir tristeza ou irritação, mas também temos de aprender a ouvir e a dizer coisas que nos façam sentir um pouco mais felizes e contentes.

Permito-me sentir

Descrição

Todos nós temos emoções e sentimentos, mas, às vezes, não os expressamos porque acreditamos que nos enfraquecem ou porque os outros não os aceitam.

Leia a seguinte história.

1. Jaime era um menino de 7 anos e, depois de uma discussão com um colega de classe, começou a chorar.

2. Os colegas começaram a dizer coisas desagradáveis como "chorar é para meninas", "ficar triste é coisa de medrosos", e muitas outras coisas.

Pense nas seguintes perguntas

- Se você estivesse do lado de Jaime, o que lhe diria?
- E se fossem seus colegas?

Das emoções que estão a seguir, nós o convidamos a falar, em voz alta, aquelas que você acredita que pode sentir sem se importar com o que disserem os outros quando as expressar.

Medo

Amor

Vergonha

Tristeza

Inveja

Orgulho

Material: não é necessário.
Participantes: individual.
Idade: a partir de 10 anos; com essa idade, há uma melhor compreensão das emoções vividas e experimentadas em diferentes situações da vida cotidiana.

Alegria

Raiva

Bom Humor

Orientações para os educadores

As emoções devem ser vividas de forma natural e com respeito, sem julgá-las nem reprimi-las.

Ampliação da atividade

Pergunte para sua família e amigos que emoções eles expressam com maior facilidade e quais com mais dificuldade.

Para ajudá-lo a refletir

Sentir alegria ou tristeza é normal. Como pessoas, temos de viver e sentir coisas agradáveis e desagradáveis; senti-las e expressá-las nos fazem ser mais humanos.

Criar e sentir

Objetivo

Desenvolver a criatividade.

Descrição

Procure qualquer tipo de material de reciclagem e planeje um possível projeto de brinquedo ou qualquer outra coisa que possa criar com as mãos e a imaginação.

Desenhe mentalmente seu projeto.

Reflita sobre a imagem com base nas seguintes perguntas

- O que eu gostaria de criar?
- De que necessito para realizar meu projeto?
- Que emoções sinto diante dele?

Usando o tempo que precisar, consulte ou pergunte tudo o que quiser; os outros podem ajudá-lo, se você achar necessário.

Assim que estiver pronta, mostre sua criação para os outros e questione:

- Como você se sentiu com a criação?
- Você percebeu alguma limitação em si?
- Foi capaz de realizar seu projeto?
- Como conseguiu realizá-lo?

> **Material:** materiais de reciclagem.
> **Participantes:** individual.
> **Idade:** a partir de 7-3 anos.

Orientações para os educadores

A atividade pode ser realizada com outros materiais, como argila ou pintura, e, se quisermos, acompanhada de música.

Ampliação da atividade

Pode-se realizar essa atividade com algum amigo.

Reflita sobre o seguinte

- Você teve alguma dificuldade?
- Como a superou?
- Foi difícil trabalhar em grupo?
- Como você se sentiu com essa experiência?
- Acredita que tem capacidade para trabalhar em grupo?

Compartilhe suas reflexões com os outros e parabenize-se por alcançar essa meta. Agradeça também às pessoas que tornaram possível a realização do seu projeto.

Para ajudá-lo a refletir

Crie bonitos projetos que podem fazê-lo sentir emoções positivas. Lembre-se de que é você, principalmente, quem deve gostar deles, já que é o protagonista. Desfrute!

Gosto de mim como sou

Descrição

Feche os olhos e tenha consciência de você mesmo fazendo um percurso desde a cabeça até os pés.

À medida que vai visualizando seu corpo, fale com ele e diga-lhe coisas agradáveis em voz alta:

Meu cabelo é...

Minhas orelhas são...

Meus olhos são...

Minha pele é...

Meus dentes são...

Meu pescoço é...

Meus braços são...

Minhas mãos são...

Minhas pernas são...

Participantes: individual ou em grupo.
Idade: recomendável a partir de 3 anos.

Meus pés são...

Quando terminar, compartilhe suas qualidades físicas com os outros.

Por exemplo:

- Quais qualidades são semelhantes?
- Quais são diferentes?

As diferenças que encontrar serão aquelas qualidades que o tornam especial. Ninguém é como você, e você não é como ninguém.

Algumas perguntas para pensar

- Conseguiu visualizar seu corpo?
- Que qualidades descobriu?
- Como você se sentiu?
- Há alguma parte do seu corpo de que você não goste?
- Por quê?

Para ajudá-lo a refletir

Nosso aspecto nos faz ser diferentes dos demais. Diga coisas bonitas ao seu corpo e cuide dele.

Meu retrato

Objetivo
Ter consciência de si.

Descrição

Procure fotografias, desenhos e imagens nas quais você aparece. Revise o que encontrou e organize o material de acordo com a idade que tinha em cada um.

Quando já estiver tudo organizado realize uma colagem com os materiais encontrados (faça uma cópia para conservar os originais). Você terá um magnífico retrato de sua história pessoal.

Propomos que pense no seguinte

- Você gosta de como é? Por quê?
- Que mudanças você notou em si?

Cada vez que comemorar seu aniversário, convidamos você a atualizar a colagem; pode ser um dos melhores presentes que você receberá. Felicidades!

Orientações para os educadores

É interessante que a família colabore na colagem disponibilizando o material necessário.

Material: papel e lápis ou caneta, cartolina, cópias de fotografias ou desenhos e cola bastão.
Participantes: individual.
Idade: recomendável a partir de 10 anos.

Para ajudá-lo a refletir

À medida que vamos crescendo, nosso corpo e aspecto físico vão mudando. Pode ser divertido ver o quanto você cresceu e mudou ao longo do tempo.

A flor da amizade

Objetivo

Identificar suas características positivas com ajuda dos demais.

Descrição

Propomos que você seja repórter e pergunte para seus amigos que aspectos positivos valorizam em você.

Apresentamos um exemplo, o de Paulo.

Maria disse…

> – Paulo é um menino que compartilha suas coisas.

Glória disse…

> – Paulo sabe desenhar muito bem.

Francisco disse…

> – Paulo é alegre e divertido.

Henrique disse…

> – Paulo é organizado.

Sugerimos que você elabore sua própria flor da amizade com aquilo que seus amigos dizem. Agradeça-lhes a colaboração e a sinceridade pelo que comentaram.

Reflita:

- Como você se sente?
- Surpreso, contente, feliz, nervoso, etc.?

> **Material:** papel e lápis ou caneta.
> **Participantes:** individual, com ajuda dos demais.
> **Idade:** recomendável a partir de 5-6 anos.

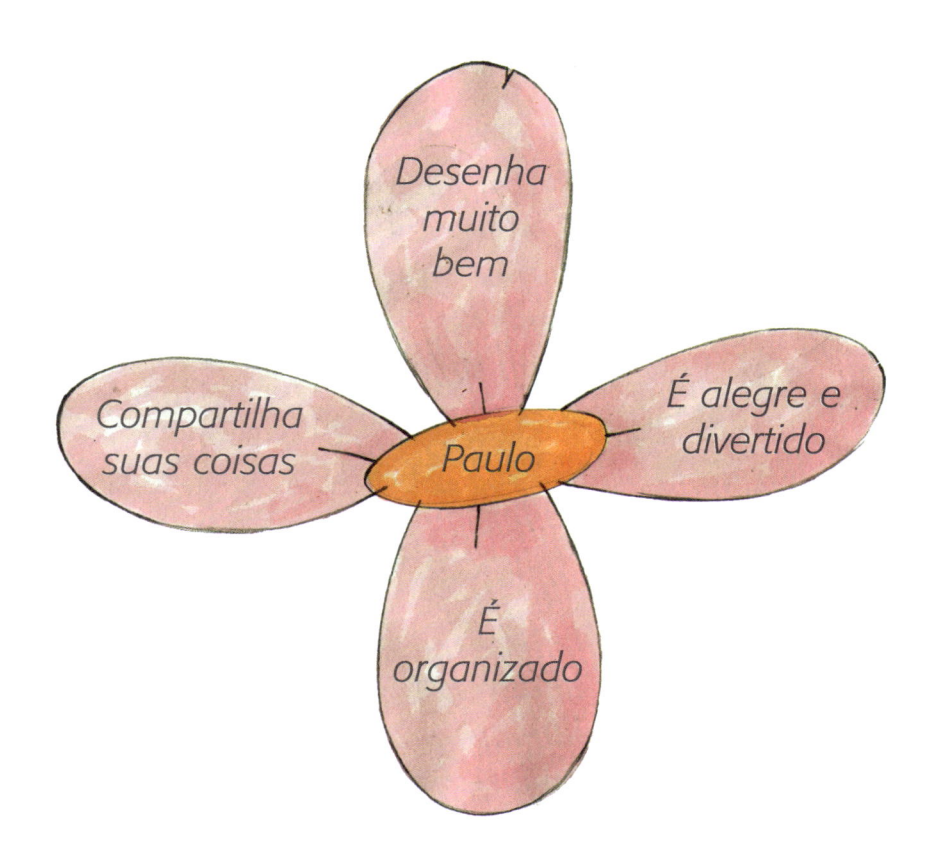

Orientações para os educadores

É interessante que a criança reconheça o que os outros dizem a respeito dela.

Para ajudá-lo a refletir

Conhecer o que os outros pensam de você e quais qualidades tem é uma forma de se conhecer um pouco mais.

Habilidades socioemocionais

A situação que apresentaremos a seguir acontece frequentemente. João e Alberto são dois meninos da mesma idade, vivem no mesmo bairro e vão ao mesmo colégio. As notas de ambos são parecidas, João se destaca um pouco mais em língua portuguesa e Alberto em matemática, mas no restante das matérias, as notas são praticamente iguais.

Quando chega a hora do recreio, Alberto quase sempre está sozinho. Seus colegas de classe não o convidam para jogo algum e, quando fazem equipes, sempre fica por último. João, ao contrário, sempre está rodeado de amigos, é a típica pessoa de quem todo mundo gosta. Ainda que costume dizer sempre o que pensa, tenta não ferir ninguém. Seus colegas o convidam para tudo e, normalmente, o escolhem como capitão da equipe.

Alguma vez você parou para pensar o porquê de uma situação parecida? Possivelmente há mais de uma explicação, mas, com certeza, as habilidades sociais de cada um deles têm muito a ver com isso. Por isso, e para que não aconteça o mesmo com você, vamos explicar-lhe o que são habilidades socioemocionais e depois o convidaremos a colocá-las em prática.

Existem muitas definições para explicar o que são as habilidades socioemocionais. No entanto, todas concordam que são "maneiras de agir que favorecem as relações entre as pessoas". Dependendo de cada situação, exercitaremos algumas habilidades ou outras, conforme o contexto e as características dela. A seguir explicamos em que consistem algumas das habilidades socioemocionais:

Assertividade. É a maneira de se comportar na qual a pessoa não é agressiva, nem passiva. Nem agride, nem se submete à vontade de outras pessoas; mas, sim, expressa suas convicções e defende seus direitos, respeitando os direitos, pensamentos e sentimentos dos outros.

Empatia. É a habilidade que nos permite compreender, ainda que não estejamos de acordo, o ponto de vista dos demais, e demonstrar-lhes que estamos entendendo.

Saber escutar. Consiste em escutar com atenção, saber o que a outra pessoa deseja nos comunicar e transmitir-lhe que recebemos a mensagem.

Definir um problema. É a habilidade que nos permite ser capazes de analisar uma situação tendo em conta todos os fatores que intervêm nela.

Avaliar soluções. É a habilidade que nos permite, no momento de tomar uma decisão, analisar as consequências que terão as soluções propostas para as pessoas implicadas.

Negociação. É a habilidade que tem como objetivo encontrar uma solução que seja aceita e resulte justa e adequada aos interesses das pessoas implicadas.

Essas habilidades podem ser aprendidas. Facilitam, para a pessoa que as domina, melhores relações com os demais; permitem reivindicar nossos próprios direitos sem negar os direitos dos outros; e, por último, facilitam a prevenção, a identificação, a comunicação e a resolução de problemas.

O que fazer quando não gosto de algo?

Objetivo
Saber reagir de maneira adequada diante do que nos desagrada.

Descrição

Há ocasiões em que o fato de não sabermos reagir adequadamente acaba nos causando mal-estar. Com certeza, treinando a habilidade de dizer as coisas de uma maneira correta, nós nos sentiremos melhor e não faremos com que aqueles que nos rodeiam se sintam mal.

Leia pausadamente as situações a seguir e pense como você reagiria em cada caso:

1. Um colega come um pirulito e joga o papel no chão. Você não gosta da atitude dele e acha que deve dizer.

Sua maneira de agir é:

a. (Com a voz brava e dando uma bronca nele):
   – Que porcaria! Não sabe que os papéis não devem ser jogados no chão?
b. – Bom, para mim... eu acho... nada, tanto faz, deixa para lá.
c. (Com a voz pausada): – Creio que você não notou e deixou cair o papel do pirulito no chão. Seria conveniente que o recolhesse para não sujar a rua.

2. A professora acaba de entregar uma prova depois de corrigi-la e você acha que a nota não está correta. Está irritado e quer que a professora revise a prova. Você acha que deveria dizer isso a ela.

Sua maneira de agir é:

a. – Desculpe-me, professora, mas gostaria que, quando for possível, você revise minha prova. Achei que tinha ido melhor.

b. – Ah... sempre igual, você sempre tem que se equivocar comigo! Na próxima prova, vou fazer tudo errado. Também, faça o que eu fizer, você sempre me dá a mesma nota.

c. Não diz nada, acha que não vale a pena, que é só uma nota de uma prova, e que, se disser algo, a professora ficará brava com você.

3. Você saiu um pouco tarde de casa, mas ainda tem uns minutos para comprar doces. Está esperando sua vez de ser atendido e quando chega, aparece um menino pedindo que o atendam. Mas você não está disposto a permitir que passe na sua frente.

Sua reação é:

a. Deixa-o passar, afinal, só uma pessoa não o atrasará mais e, talvez, se chamar a atenção dele, acabarão discutindo e será pior.

b. Diz a ele: – Eu também tenho pressa e esperei pacientemente minha vez, então agora é minha vez de ser atendido.

c. Começa a gritar no meio da loja: – Você se acha o melhor do mundo para passar na frente? Olhe, deixe-me passar ou lhe tiro daí com um empurrão.

4. Você marcou com um amigo de ir ao cinema. O filme começa às 17h, mas vocês ficaram de se encontrar às 16h30min para dar tempo de comprar as entradas e as pipocas. Seu amigo chega às 16h55min e, em vez de se desculpar, diz que o filme ainda não começou. Você fica incomodado com essa atitude e acha que deveria dizer isso a ele.

Sua maneira de agir é:

a. Quando o vê chegar, você grita: – É a última vez que o espero. É o cúmulo da falta de pontualidade. Com você não se pode marcar nada; agora, por culpa sua, não veremos o começo do filme.

b. Você se incomoda com a atitude dele, mas não diz nada. Supõe que algo importante tenha acontecido e não quer incomodá-lo ainda mais.

c. Tranquilamente, pergunta o que aconteceu. Diz que você não gosta de chegar atrasado nos lugares e que, da próxima vez que ficarem de se encontrar, se por algum motivo ele tiver de se atrasar, que por favor ligue para que você não fique esperando.

5. Amanhã você tem uma prova de matemática e um amigo pede seu caderno para estudar. Você costuma emprestar suas coisas, sobretudo para os amigos, mas hoje é impossível porque você também tem de estudar. Você acha que se disser não, ele ficará bravo, mas hoje realmente você não pode.

Como você age?

a. Explica que qualquer outro dia não teria problemas em emprestar o caderno, mas hoje é impossível. Sugere que em outra ocasião procure se organizar melhor e pedir o caderno com antecipação.

b. Empresta o caderno; um amigo merece qualquer tipo de sacrifício, e o que você não quer de maneira alguma é que ele fique triste com você.

c. Responde: – Está louco ou o quê? O que quer, que eu vá mal na prova por sua culpa? Vire-se.

Participantes: individual.
Idade: Pode-se trabalhar com qualquer idade variando as situações. Dependendo da idade, pode-se ampliar a atividade com a definição e as características dos diferentes tipos de comportamento: assertivo, passivo e agressivo (ver ficha a seguir).

Tipos de resposta

Situação	Passiva	Agressiva	Assertiva
1	b	a	c
2	c	b	a
3	a	c	b
4	b	a	c
5	b	c	a

Reflita sobre as seguintes perguntas

- Você viveu muitas situações como essas?
- Se já passou por alguma delas, reagiu da mesma maneira que agora?
- Acredita que foi a maneira correta de agir?
- Como você se sentiu?
- Como você acha que o outro se sentiu com cada uma das reações?

Para ajudá-lo a refletir

Todos, ao longo do dia, nos deparamos com situações similares às que descrevemos e que fazem com que tenhamos de reagir diante delas. Quando somos capazes de reagir da maneira adequada, tanto nós como o restante das pessoas, nos sentimos muito melhor. Lembre-se de que não tem mais razão aquele que grita mais, mas quem é capaz de expor o que pensa sem se alterar nem ofender os demais. Nunca devemos deixar de dizer o que pensamos, mas temos de ser capazes de dizer sem ofender ou incomodar os outros. Além de conseguir melhores resultados, esse tipo de comportamento fará com que as pessoas que nos rodeiam nos aceitem e nos respeitem muito mais.

Tipos de resposta

Agressiva	Passiva	Assertiva
Comportamento		
Volume de voz elevado	Volume de voz baixo	Tranquilidade
Fala precipitada	Fala pouco fluida	Fala fluida
Interrupções	Postura tensa	Corpo relaxado
Insultos	Vacilações, silêncios	Não há bloqueios nem vícios de linguagem
Olhar desafiante	Olhar baixo	Contato ocular não desafiante

Principais consequências		
Afastamento dos outros	Falta de respeito dos outros	Detém o ataque do outro
Os outros se sentem menosprezados por isso podem chegar a evitar sua companhia	Perda da autoestima	São considerados bons negociadores, não tontos
Esse desprezo pode produzir cada vez mais agressividade	Não é desprezado, mas também não é valorizado: dão pena	Fazem-se respeitar e valorizar pelos demais

Vamos adivinhar?

Objetivo

Reconhecer a importância da comunicação não verbal.

Descrição

Há momentos em que as expressões nos colocam em cada roubada! Ainda que estejamos dizendo uma coisa, com nossa atitude estamos demonstrando outra.
Mas acontece também o contrário: há vezes que não é necessário falar para poder mostrar o que sentimos.

Em alguns papéis anotaremos diferentes situações. Os alunos ficarão na frente do grupo e, sem falar, terão de expressar a situação indicada no papel. Não poderão dar pistas, somente fazer mímicas até que algum colega adivinhe a mensagem.

Estou muito contente porque esta tarde irei brincar com meu amigo.

O sanduíche do café da manhã estava delicioso.

Estou com muitíssimo sono.

Estou com fome!

Material: papéis com as mensagens.
Participantes: grupo grande.

*Amanhã vou
ao campo com a
excursão da escola.*

Para ajudá-lo a refletir

Nossos gestos, nossas mãos, todo o nosso corpo, comunicam muito mais do que nós pensamos. Pense que quando queremos nos comunicar com outra pessoa, além das palavras, há outros elementos que interferem. Assim temos:

- No rosto: o sorriso, as caretas…
- Nos olhos: a direção do olhar, as alterações da pupila…
- No corpo: a postura, a posição do braço e das pernas, o distanciamento…
- Na voz: o tom, o ritmo…

Portanto, o ideal é conhecer e controlar nossa linguagem não verbal, para não dizer uma coisa e dar a entender, não verbalmente, o contrário.

O boato

Objetivo
Reconhecer a importância de ter a informação correta antes de tomar decisões.

Descrição

Pode acontecer de julgarmos uma situação sem ter toda a informação de que necessitamos, deixando-nos levar pelo primeiro impulso.

Leia a história em duas partes e, no final de cada uma, responda às perguntas em uma folha. Quando terminar a leitura, reflita sobre as respostas dadas, para avaliar a importância de não tomar decisões de maneira precipitada.

O relato se chama *História de um mal-entendido* e começa assim:

1. Maria, João e Laura estão no 4º ano do ensino fundamental. São muito amigos desde o 1º ano, quando se conheceram. Inclusive, em alguns finais de semana, as três famílias vão juntas para algum lugar.

2. Uma manhã, quando Maria ia para a escola, achou ter escutado que João criticava Laura com outros colegas, e que eles riam porque Laura usava óculos.

3. Maria ficou muito surpresa, porque não esperava essa atitude de João, mas depois de pensar no que deveria fazer, decidiu que tinha de avisar Laura que João a estava criticando.

4. Apesar de achar que havia tomado a decisão certa, não se sentia bem, porque tinha a impressão de que, de algum modo, estava traindo João.

Passaram-se três dias, e os três amigos estão tristes:

– Laura está triste com João por tê-la criticado e ter rido dela.
– Maria está triste porque não sabe se fez bem em comentar com Laura o que ouviu.
– João está triste porque não entende a mudança de atitude das amigas com ele.

Perguntas sobre a primeira parte da história

- Qual sua opinião sobre esse caso?
- Quem você acha que agiu mal?
- O que você teria feito no lugar de Maria?
- Se você fosse Laura, como teria reagido?
- Como você acha que Maria se sente?
- Quais são os sentimentos de Laura?
- O que você acha que João sente diante da mudança de atitude das amigas em relação a ele?

Para ajudá-lo a refletir

Muitas vezes, agimos de maneira precipitada. O fato de pensar que estamos fazendo o correto nem sempre assegura que estamos agindo bem. Quanto mais informação tivermos do que está acontecendo, mais garantias teremos de não nos equivocar.
É necessário saber o que aconteceu para poder agir, do contrário, podemos ferir os sentimentos dos outros de maneira desnecessária.

Passou-se uma semana e, depois de várias tentativas de João falar com as amigas, ele ainda não conseguiu.

Laura segue chateada; Maria, incomodada por ter tido de acusar o amigo; e João desorientado, porque não entende o que está acontecendo.

5. Na terça-feira de manhã, quando João chega à classe, as duas amigas se surpreendem ao vê-lo de óculos.

5

6. Chegam outros dois colegas, comentam algo com João e os três começam a rir. Então, ouvem João dizer:
– Eu disse para vocês. Então, com óculos pareço com o diretor?

Em seguida, começam a rir novamente.

6

7

7. Maria reflete e começa a suspeitar que talvez, naquele dia em que ela os ouviu, não estivessem falando de Laura.

8. Decide falar com João e explica tudo o que aconteceu. João garante que, em momento algum, falou mal de Laura. Ainda que, em um primeiro momento, tanto João quanto Laura estejam tristes com Maria pelo problema que ela ocasionou, no final, tudo se esclarece e os três voltam a ser tão amigos como antes.

Perguntas sobre a segunda parte da história

- O que você acha do final da história?
- Como teria agido no caso de Maria?
- E se você fosse o João?
- E se você fosse a Laura, o que teria feito?
- O que você acha que sente cada um dos três quando se dão conta do que aconteceu?
- Acredita que algum deles, ou todos, deveriam ter agido de outra maneira?
- Que conclusão você acha que podemos tirar dessa historinha?

Para ajudá-lo a refletir

A atitude de Maria poderia ter terminado com a amizade dos protagonistas da história. No entanto, ela foi capaz de reconhecer o erro, e os amigos foram capazes de desculpá-la.

Para não ferir os sentimentos dos outros, temos de procurar estar seguros do que fazemos, mas mesmo tentando é possível que alguma vez nos equivoquemos. Então, é necessário pedir desculpas e nos corrigir. Da mesma maneira, temos de estar dispostos a aceitar que as outras pessoas também podem se equivocar e temos de ser capazes de desculpá-las.

Às vezes, devemos dizer NÃO

Objetivo

Ser capaz de rejeitar propostas ou não fazer coisas que nos desagradam.

Descrição

Nem sempre temos de estar de acordo com tudo o que nos propõem, e isso não tem porque nos fazer sentir mal. Saber dizer não corretamente é a maneira adequada de estar à vontade com nossas atitudes, sem fazer com que outras pessoas se sintam mal.

A seguir, você verá situações nas quais o protagonista deveria dizer não. Imagine que se trata de você e argumente para cada situação os motivos nos quais acredita que deve dizer não. Pense que não se deve dar desculpas. Se damos desculpas, a outra pessoa tentará nos convencer e, no final, ficaremos sem argumento.

1. Um amigo lhe propõe fazer uma brincadeira com um colega de classe e esconder sua merenda. Você sabe que o outro aluno é muito tímido, que possivelmente não dirá nada e nesse dia ficará sem lanchar. Você não quer fazer isso porque acredita que não é uma brincadeira legal.

Reflita

- Por que você acredita que deveria dizer NÃO?
- Que argumentos utilizaria para se negar a fazer a brincadeira?

É interessante que reflita também sobre as situações nas quais mais lhe custa dizer não, e as emoções que são geradas quando você diz não, assim como quando dizem não para você. Para isso, você pode utilizar uma fotocópia da "Folha de resumo" ou fazer uma planilha similar e tentar responder às perguntas que formulamos.

2. Você marcou com uns amigos de ir ao cinema para ver aquele filme que tanto queria. Quando chega um, propõe que, em vez de ir ao cinema, poderiam ir patinar. Não é que você não goste de patinar, mas queria muito ver o filme.

Pense sobre o seguinte

- Por que você acha que deveria dizer NÃO?
- Quais são os argumentos que você utilizaria para negar?

3. *Você marcou com sua amiga para irem ver brinquedos. Quando chegam a uma grande loja, sua amiga encontra duas colegas de classe. No começo, parecem simpáticas, e vocês começam a andar pela loja juntas. Enquanto está vendo os brinquedos, você se dá conta de que há um que não tem o alarme de segurança, e essas meninas propõem que as quatro o levem e escondam, dissimuladamente. Você diria que não, que não quer levar uma coisa que não lhe pertence?*

E a respeito dessa situação

- Você deve dizer NÃO? Por quê?
- Quais são os argumentos que você utilizaria?

4. É o aniversário de João e você quer comprar um presente para ele. Habitualmente, você compra os presentes sempre tentando gastar aproximadamente a mesma quantia para todos os seus amigos, para que não existam grandes diferenças entre uns e outros. Nessa ocasião, um dos seus amigos propõe comprar um presente que aumenta muito o valor que você já tinha estipulado. João é um bom amigo e você não tem nada contra ele, mas, apesar de ter dinheiro e poder comprar algo mais caro, não acha que seja conveniente. Além disso, tinha pensado em destinar parte do dinheiro para outras coisas. Poderá e saberá dizer que não quer pagar um valor muito alto?

> **Participantes:** individual.
> **Idade:** a partir de 10 anos.

Nessas circunstâncias

- Por que você acha que deveria dizer NÃO?
- Quais são os argumentos que você utilizaria?

4

5

5. *Você está convencido de que encontrou seu estilo. Não é muito convencional, mas você gosta: calça velha, camiseta um número maior do que você usa e um tipo de cabelo desarrumado que todo mundo considera um tanto estranho e que tanto irrita sua mãe. Dentro de alguns dias, seus avós celebram bodas de ouro e seus filhos organizaram uma grande festa familiar. Toda a família estará lá: tios, primos... e até aqueles parentes distantes que já não vê há tanto tempo. Sua mãe quer causar boa impressão e você sabe que para ela o aspecto físico é muito importante; por isso ela lhe pede que, por favor, nesse dia você se vista de uma maneira "correta". Você está disposto a fazer isso, dentro de alguns limites. Aceita que ela escolha a calça e a camiseta que você colocará, porque, no final de tudo, no dia seguinte poderá voltar a usar suas roupas sem que nada o incomode. Mas o que você não está disposto é a cortar o cabelo, porque isso seria irreversível.*

Por último, nessa situação

- Por que acha que deveria dizer NÃO?
- Quais são os argumentos que você utilizaria para isso?

Folha de resumo

Responda às perguntas seguintes

De todas as situações descritas, em qual você acha mais difícil dizer não?
Você é capaz de dizer por que essa, especialmente, lhe custaria mais dizer não?
Como você acha que se sentiria ao dizer não?
E a outra pessoa, como você acha que ela se sentiria?

Cite três motivos pelos quais você acredita que sabe dizer não:
1.
2.
3.

Explique três possíveis reações da pessoa para quem você diz não:
1.
2.
3.

OBSERVAÇÕES:

Nem sempre é o que parece ser

Objetivo

Analisar as causas que levam os outros a agir, antes de tomar nossas próprias decisões.

Descrição

Às vezes, os outros agem de uma maneira de que não gostamos e tendemos a pensar unicamente nos incômodos que seu modo de agir nos causa.

Possivelmente, se falamos com eles para averiguar os motivos de seu comportamento, veremos que sua intenção não foi em nenhum momento a de nos incomodar, inclusive, poderíamos dizer que muitas vezes foi justamente o contrário.

Atividade individual

Comece lendo a primeira parte da história. Quando chegar à pausa, tente responder com sinceridade às perguntas que são propostas. Depois, continue lendo e, quando terminar, responda novamente às perguntas. É muito importante que tente chegar a uma conclusão. Possivelmente será útil anotá-la e tê-la a mão para pensar novamente nela de vez em quando.

Atividade em grupo

O diretor da atividade começará lendo a primeira parte da história e depois apresentará aos participantes as questões propostas e outras similares. Quando considerar que as perguntas relativas à primeira parte foram suficientemente respondidas, continue a leitura. Ao terminar, reinicie o debate para propiciar aos alunos uma maneira de chegar a uma conclusão sobre o desenlace da história apresentada.

Peça aos participantes que façam uma redação, cada um da sua maneira, escrevendo a conclusão a que chegaram. Depois de lidas em voz alta as conclusões, tentem chegar a um acordo de qual é a mais significativa, com qual eles se identificam mais e se são capazes de colocá-la em prática.

Essa conclusão comum deverá ser copiada em uma cartolina que poderá ser pendurada na parede da sala de aula, para poderem relembrá-la sempre.

Primeira parte da história:

Hoje é o aniversário de Maria. Ela está muito contente porque está fazendo 13 anos e acredita que esse número lhe dará sorte, embora não seja supersticiosa.

Participantes: individual ou em grupo grande.
Idade: a partir de 10 anos.

Faz tempo que Maria marcou com seus melhores amigos, Paulo e Ana, que nessa tarde tomariam um lanche e depois iriam ao cinema. Ela tem certeza de que será um dia especial e não vê a hora de chegar a tarde para celebrar com os amigos.

1. Mais ou menos ao meio-dia, recebe uma mensagem de Paulo: "Mudanças de planos. Não posso às 17h. Marcamos para as 19h."

2. Maria, ainda que não entenda os motivos da mudança, e de certa maneira um pouco incomodada, não dá muita importância e decide esperar pacientemente para que chegue as 19h.

3. No entanto, à medida que o dia avança, ela vai ficando mais nervosa. Às 17h30min, liga para Ana para ver o que está fazendo, e para tentar se encontrar com ela antes de se reunirem com Paulo. Mas a mãe de Ana diz que ela não está em casa, que às 17h Paulo veio buscá-la e saíram juntos.

3

Reflita sobre o seguinte

- O que você acha que Maria sente?

Possivelmente está com muita raiva, talvez decepcionada, e inclusive muito triste. Também pode estar desorientada, desconcertada, pensando: "Por que isso está acontecendo?"

- Como você se sentiria?
- O que pode fazer?
- Que alternativa tem?

Quando estamos com raiva, não somos capazes de analisar as situações de uma maneira correta. No entanto, se nos propomos a analisar as alternativas diante de qualquer dificuldade, cada vez será mais fácil. Por exemplo, no caso de Maria, ela poderia:

- Ligar para Paulo e perguntar o que aconteceu.
- Tentar falar com Ana para esclarecer a situação.
- Relaxar pensando que, se seus amigos adiaram o encontro, com certeza eles têm algum motivo importante para isso.
- Ficar com raiva, e ligar para outros amigos para celebrar seu aniversário com eles.

O que você faria no lugar dela?
Qual é a melhor solução em sua opinião?

Segunda parte da história:

4

4. Maria não entende como puderam fazer algo assim com ela. Está muito triste, passam muitas coisas pela sua cabeça: seus melhores amigos, no dia do seu aniversário, fazendo isso!

5. Ela inclusive chega a pensar em não ir ao lugar onde marcaram.

5

6. *No final, ainda muito triste e com vontade de brigar com seus, até então, amigos, decide ir ao lugar na hora que havia dito Paulo. Quando chega ali: SURPRESA! Não somente estão Paulo e Ana, mas também um monte de amigos, esperando por ela, repletos de alegria e de presentes. Paulo e Ana organizaram uma festa-surpresa e haviam convidado todos os seus amigos. Por esse motivo, necessitavam de mais tempo para organizar tudo: decorar o local, fazer faixas, comprar as últimas coisas…*

Reflita sobre as seguintes perguntas

- O que você acha que Maria sente agora?
- Você esperava que fosse esse o motivo?
- Como você acha que foi a reação de Maria?
- Como você se sentiria se fosse Maria?
- O que sentiriam Paulo e Ana se soubessem do aborrecimento de Maria?
- Que conclusão se pode tirar dessa história?
- Você considera que essa conclusão pode ser útil para sua vida diária?
- Ela servirá para aconselhar seus amigos?

Para ajudá-lo a refletir

Você deve considerar que, às vezes, há motivos que desconhecemos e que fazem com que as pessoas se comportem de uma determinada maneira. Por isso, quando não entendemos o comportamento de uma pessoa, antes de ficar com raiva ou chegar a conclusões equivocadas, é bom tentar esclarecer as coisas falando diretamente com as pessoas envolvidas ou deixando que passe o tempo.

Vamos parar e pensar?

Objetivo

Identificar e enfrentar de maneira satisfatória os conflitos cotidianos.

Descrição

É difícil saber o que nos acontece se não somos capazes de parar e pensar nisso. Normalmente, os problemas com os quais topamos têm suas causas, suas consequências... mas também uma ou várias maneiras de remediá-los.

Atenção: é importante a supervisão de um adulto para a realização dessa atividade.

Leia a seguinte história, e anote em uma folha à parte os diferentes problemas que considera que o protagonista tem. O relato se intitula *O diário de João*, e começa assim:

O diário de João

Oi! Meu nome é João e eu tenho 11 anos. Nunca tinha escrito um diário, mas a partir de agora vou escrever. Minha vida é um pouco caótica, mas vou tentar escrever tudo o que acontece nela para ver se me ajuda a solucionar algo.

Minha família é uma família considerada "normal", pelo menos é o que todos dizem, já que para a maioria dos adultos que me rodeiam eu não posso opinar, porque ainda sou muito pequeno.

Meu pai, Henrique, tem 35 anos e todo mundo diz que é muito jovem e já conquistou muitas coisas na vida. Tem um trabalho de muita responsabilidade em uma fábrica que está a mais ou menos 20 quilômetros de casa. Ele trabalha muitas horas por dia, e isso faz com que esteja pouco tempo em casa. Mas, como ele diz, ele ganha muito dinheiro e não nos falta nada, por isso seu trabalho compensa.

Minha mãe, Mônica, é um ano mais nova que meu pai, e ainda que trabalhe fora de casa, não tem um trabalho tão importante. Segundo ela, está bom porque assim pode se preocupar com a ordem da casa (ela é muito organizada), além de não deixar que meus irmãos e eu desorganizemos a casa. Como você pode deduzir, meus pais se casaram muito jovens; minha irmã mais velha, Cláudia, já tem 14 anos.

É da minha irmã que vou falar agora. Ela está, segundo dizem, na idade do pavão. Ela se dá muito bem com minha mãe: Cláudia também é muito organizada e, além disso, as duas gostam de ir juntas fazer compras. Às vezes, inclusive, trocam as roupas entre elas. No colégio ela também é boa, muito dedicada, sempre tira notas muito boas, e isso lhe serve para não fazer nada em casa, com a desculpa de que tem deveres ou que tem de estudar.

Além de Cláudia, tenho outro irmão: Alberto, o pequeno. Tem somente 5 anos, e todos dizem que é uma criança muito graciosa e divertida, ainda que para mim isso seja exagero. A verdade é que às vezes ele é muito chato. Diverte-se jogando as coisas, rasgando papéis... e depois, eu tenho de recolher tudo! Quando meu pai tem algum momento livre, leva-o por aí para jogar futebol, para ir ao parque, nas balanças... Meu pai diz que é para que ele nos deixe tranquilo, mas eu estou convencido de que ele gosta e se diverte com Alberto, porque quando voltam, os dois estão muito contentes. A verdade é que quando meus pais saem de noite, e tenho de cuidar dele, fico muito cansado dele e de suas bobeiras. Minha avó Luísa diz que ele é mimado.

Quanto a mim, o que posso explicar? A verdade é que nada. Não há nada que eu faça direito para destacar e, no entanto, faço mal um monte de coisas que vocês irão descobrir ao longo do diário. Para dar um exemplo, e de acordo com o que dizem meus pais: sou bagunceiro, não ajudo em casa, não sou divertido, sempre protesto por tudo, não cuido do meu irmão, não sou bom aluno como minha irmã... e o pior, tudo o que eles dizem é verdade.

Bom, sobre ser bom aluno eu gostaria de contar. Não é que seja muito ruim, tenho certeza de que não, mas na escola me divirto muito. Sinto-me muito à vontade e nem um pouco reprimido; isso faz com que às vezes eu exagere nas brincadeiras ou nos meus comentários, e que não me aplique tanto quanto deveria, porque na escola eu sou feliz. Meus professores dizem que, se eu quisesse, poderia ser um dos melhores alunos da escola, mas para quê? Se me dou muito bem com a maioria dos colegas e professores, para que quero mais? E isso me deixa um pouco preocupado. Gostaria de comentar isso com meu pai ou minha mãe, mas não encontro o momento, pois sempre estão ocupados. Bom, amanhã continuo... Tchau.

Agora que você já listou os problemas de João, deve tentar categorizá-los em forma de esquema ou de mapa conceitual, destacando o que acredita ser mais importante e diferenciando dos secundários. Recordando a estrutura do esquema e do mapa conceitual:

Esquema

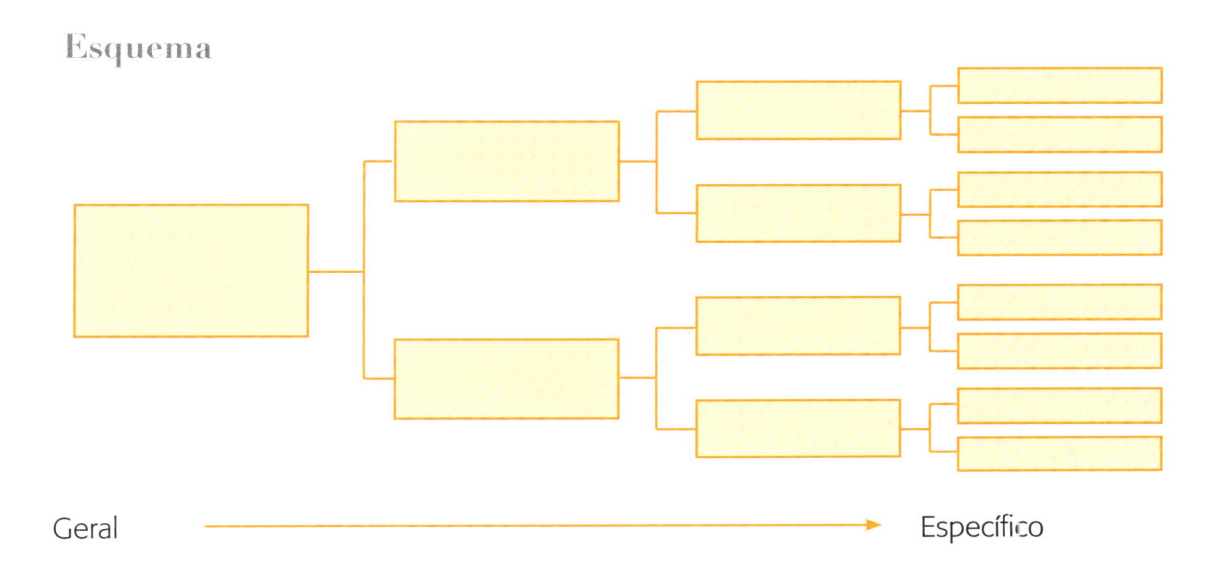

Geral ——————————————→ Específico

Mapa conceitual

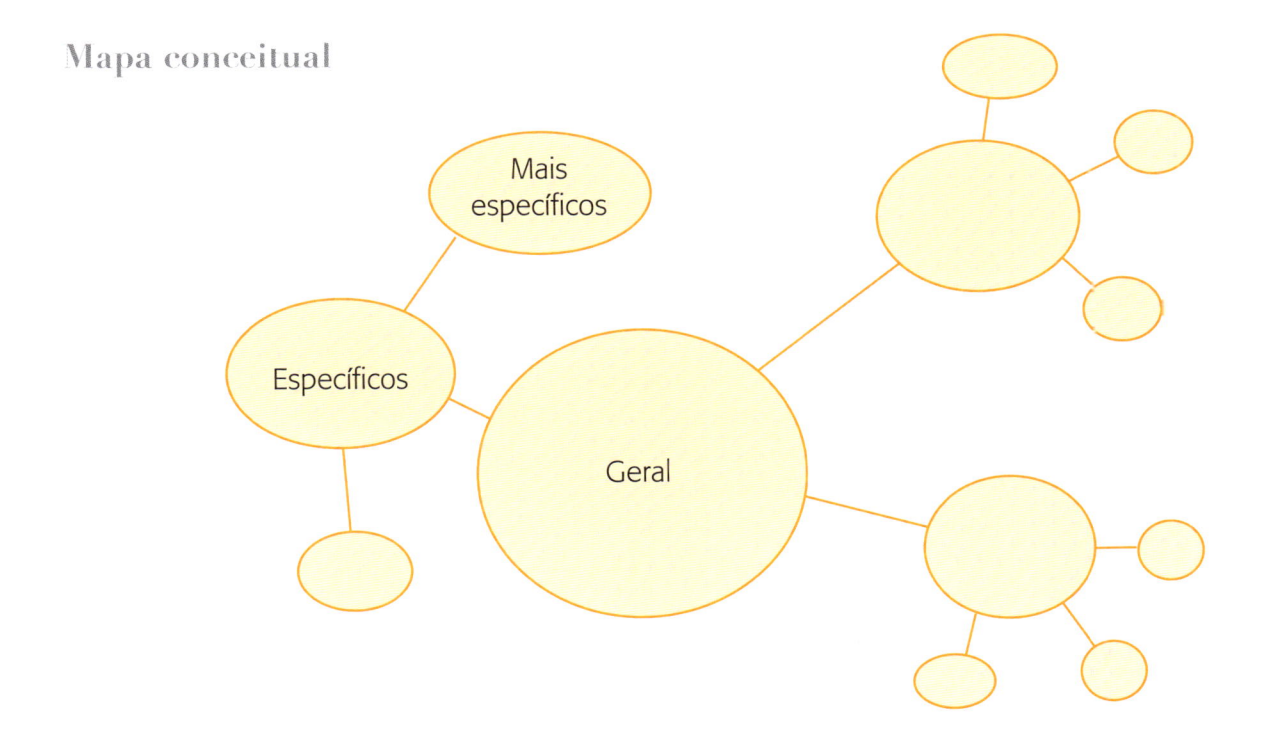

Agora, tente responder às perguntas seguintes

- Foi difícil fazer essa categorização?
- Você acha que seus companheiros fizeram igual a você?
- Se acha que eles fizeram diferente, a que você acha que se devem as diferenças?
- Você acredita que uma maneira de fazer a categorização é melhor do que a outra?
- Você acha que esse exercício seria fácil para João?

Para ajudá-lo a refletir

Nem sempre é fácil identificar e nomear os problemas. Também devemos ser conscientes de que as pessoas não vivem as situações da mesma maneira, isto é, o que para nós pode ser um problema muito importante, para outra pessoa pode não ser. Isso depende de vários fatores: de nossa maneira de ser, de nossa educação, de situações vividas anteriormente, das expectativas que temos…

Ainda mais difícil

- Que conselhos você daria a João?
- Você acha que há algo que ele poderia fazer para melhorar a situação?
- Você acha exagero a expressão de João "um pouco caótica" ou acha que está correta?
- Você acha que o problema de João tem solução?

Para ajudá-lo a refletir

Muitas vezes, quando damos um conselho para outra pessoa, costumamos dizer aquilo que serviria para nós. As soluções para os problemas que nos preocupam não são iguais para todas as pessoas e, por isso, devemos pensar no que pode ser útil à pessoa que queremos ajudar. Facilmente, podemos cair no erro de querer deixar de dar importância à situação que preocupa a outra pessoa. É fácil dizer: "Que bobeira! É só isso que o preocupa tanto?". Ao contrário, se João considera que sua vida é um pouco caótica, os conselhos deveriam ser para solucionar aquilo que ele considera um caos.

E agora, muito mais difícil

- Você é capaz de fazer a análise que fez com o "caos" de João baseado em algum problema que tenha?
- Acredita que, depois de fazer essa análise, será mais fácil encontrar soluções para seus problemas?

Para ajudá-lo a refletir

Muitas vezes, é mais fácil analisar os problemas alheios do que os próprios. Quando algo nos afeta, entram em jogo emoções e sensações que podem dificultar ver as coisas com clareza. É conveniente que, nessas ocasiões, você peça ajuda para outras pessoas, que seguramente poderão ajudá-lo.

Observações para os educadores

No caso de realizar essa atividade em grupo, é interessante comparar os esquemas ou mapas conceituais dos participantes, e fazer com que percebam as diferentes interpretações que dão para a história de João; que reflitam sobre as causas que provocam as diferenças.

É importante assinalar que o fato de que um esquema esteja bem-feito não invalida os outros; ao contrário, debater as diferentes categorizações pode ser útil para os participantes descobrirem que motivos os levam a dar mais importância para alguns problemas ou outros.

Se tiver tempo, é interessante analisar as diferentes soluções que podem ser dadas ao mesmo problema, ainda que sem se ter certeza de que alguma ou todas elas sejam eficazes.

A outra face da moeda

Objetivo

Entender que existem diferentes maneiras de ver as coisas e aceitar o ponto de vista dos outros.

Descrição

As coisas nem sempre têm uma única interpretação. Aquela que nós escolhemos depende de muitas circunstâncias: cultura, experiências prévias, estado de humor... e não necessariamente coincide com as das pessoas que nos rodeiam.

Observações para os educadores

Melhor fazer essa atividade depois de uma partida jogada na escola entre duas equipes "rivais", ainda que também possa ser feita em uma semana em que houver uma partida de futebol ou outro esporte considerado de máxima rivalidade.

> **Material:** papel e lápis.
> **Participantes:** individual.
> **Idade:** a partir de 10 anos.

Ao terminar a partida, ou no dia seguinte, desenhe rostos em uma cartolina, segundo o modelo que propomos, e peça para os colegas de classe, vizinhos, amigos... que, em relação à partida, identifiquem-se com um dos semblantes da cartolina.

| Assustado | Irritado | Choroso | Brincalhão | Contente |

Você verá que cada um se identifica com algum semblante diferente: uns estão irritados, outros estão contentes... e você sabe perfeitamente o porquê: simplesmente, depende de qual equipe sejam.

O fato é único e objetivo: jogou-se a partida e, no final, houve um resultado; mas a reação, a interpretação do resultado, as emoções e os sentimentos que ele provoca são subjetivos e, portanto, diferentes nas pessoas.

Até aqui foi fácil, agora vamos complicar

- Pense em alguma ocasião na qual pode acontecer alguma situação parecida: um único fato e duas interpretações diferentes. Com certeza, isso já aconteceu com você em mais de uma ocasião.
- Tente se lembrar de alguma dessas ocasiões e pense como você se sentia vendo que outra pessoa estava interpretando as coisas de maneira diferente de você. Descreva em uma folha à parte.
- Acredita que algum dos dois tinha razão?

Para ajudá-lo a refletir

Com certeza você se lembra de muitas situações como as descritas: uma partida, um amistoso, uma eliminatória... em todos esses casos, quando há uma competição, algumas pessoas ganham e outras não, pelo que é evidente que a reação de umas e outras será diferente.

Trata-se de recordar que quando se compete, pode-se ou não ganhar, e ser sensato na hora de demonstrar nossa alegria ou nossa tristeza para não ofender os outros.

Pode acontecer também que, nas diferentes maneiras de ver as coisas, nossos valores, nossas convicções influenciem... nesses casos, é mais difícil entender o ponto de vista da outra pessoa, mas igualmente temos de demonstrar respeito e tolerância em todos os momentos.

Igual, mas diferente

Objetivo

Reconhecer e aceitar que há diferentes maneiras, todas corretas, de perceber as coisas.

Descrição

Nem todos nós vemos as coisas da mesma maneira, inclusive nós mesmos podemos mudar o modo de ver de acordo com o dia.

Você precisa de um objeto cotidiano, um livro, uma boneca... peça para muitas pessoas, colegas de classe, amigos, família... que o descrevam e anote essas descrições.

> **Material:** um objeto cotidiano, papel e lápis.
> **Participantes:** individual.
> **Idade:** a partir de 8 anos.

A seguir, analise-as

- Todos disseram as mesmas características?
- Alguém foi mais detalhista que os outros?
- Houve algum detalhe que foi muito importante para alguém e que os outros não perceberam?
- Todas as descrições foram fiéis?
- Para você, a que se devem as diferenças entre as descrições de uns e as dos outros?

Observações para os educadores

Essa atividade pode ser trabalhada em grupo, e o objetivo das descrições é adivinhar de qual objeto se trata.

É evidente que, no princípio, não se pode afirmar que todos descreverão o mesmo objeto.

No final, deve-se iniciar o debate e a reflexão sobre como uma coisa pode ser interpretada de diferentes maneiras.

Para ajudá-lo a refletir

A descrição feita por cada pessoa depende da importância que se dá para cada um dos detalhes, e é normal e habitual que cada um se fixe naquilo que é mais importante para si.

Com certeza, há muitas características de objetos que coincidiram, e quem sabe também alguém assinalar algum detalhe tenha chamado sua atenção porque não havia reparado nele. Você pode aproveitar e perguntar para essa pessoa por que reparou naquilo; seguramente isso ajudará a conhecer melhor essa pessoa.

Habilidades
para a vida e o bem-estar emocional

Neste capítulo está proposta uma série de atividades que pretende desenvolver suas competências para que confronte com maior satisfação os desafios diários da vida.

Todos nós somos obrigados, diariamente, a conviver com situações muito variadas. Algumas são tarefas simples, como colocar a mesa, depois retirá-la, lavar a louça, etc.; outras situações são mais complexas, como realizar cálculos e solucionar problemas matemáticos, defender nossos interesses quando outros querem que façamos algo que não nos convém, etc.

As habilidades para a vida são recursos que podem ser aprendidos. Quando adquiridos, ajudam as pessoas a superar melhor todos os acontecimentos cotidianos e também a estar preparadas para enfrentar os imprevistos que, de vez em quando, aparecem no nosso dia a dia.

As atividades propostas são um conjunto de exercícios para desenvolver as habilidades que o ajudarão a organizar sua vida de forma saudável e equilibrada. Por outro lado, você também irá aprender recursos que facilitarão o aproveitamento de experiências satisfatórias que, definitivamente, o farão se sentir melhor e gozar de maior bem-estar.

Falar de bem-estar é falar de se sentir bem consigo e com os demais. Geralmente, uma pessoa se sente bem quando está saudável, quando desfruta com outras pessoas (amigos, família) e quando é aceita socialmente. O bem-estar é algo diferente para cada pessoa, depende em grande parte da forma de ver e valorizar o que nos rodeia (pessoas, objetos, acontecimentos). No próprio bem-estar emocional, cada um tem um papel importante; existem alguns recursos, habilidades e pequenos truques que cada um pode colocar em prática para assim se sentir melhor.

Nas atividades propostas a seguir, refletiremos sobre como evitar o aborrecimento; quem são as pessoas com que podemos contar; como nos comportar em diferentes situações para nos sentir bem; como tomar decisões; como enfrentar a vida com otimismo, etc. Aprenderemos que prevenir traz benefícios, que podemos fazer coisas novas que nos produzam bem-estar, buscaremos aqueles segredos pessoais que nos evocam situações agradáveis e aprenderemos a utilizá-los para gerar emoções agradáveis.

Por último, queremos propor que adote um estilo de vida saudável, de forma consciente, para adquirir competências na vida que promovam o bem-estar. São apenas algumas pequenas alterações que, realizadas constantemente, podem representar uma mudança notável depois de um certo tempo.

Você consegue se divertir com algo chato?

Objetivo

Descobrir que somos responsáveis pelo nosso estado anímico.

Descrição

Todos nós já nos aborrecemos alguma vez e isso acontece porque não sabemos o que fazer. Mas a solução está em suas mãos. Existe um truque muito simples.

Preste atenção nessas duas perguntas simples

- Que coisas me entretêm?
- Que coisas me divertem?

A seguir, pense nas respostas que você daria e escreva-as em um papel ou em um caderno. Agora, escolha uma das coisas anotadas de que você gosta e faça-a. Já não ficará aborrecido.

Se alguma outra vez começar a se sentir entediado, busque em sua lista e faça alguma outra atividade de que goste. Com certeza haverá algo mais divertido do que estar deitado queixando-se de tédio!

> **Participantes:** individual.
> **Idade:** a partir de 8 anos.

Vamos dar um exemplo:

Rosa já fez sua lista das coisas de que gosta. E nessa tarde chuvosa não pode sair para brincar na rua. Decidiu escolher uma atividade de sua lista: vai planejar as férias de sua família.

Está consultando na internet para escolher um destino entre tantos. Com certeza passará uma tarde muito entretida.

Lembre-se

O tédio aparece quando não se encontra sentido para o que se faz ou no que acontece ao seu redor. Existem muitas coisas interessantes para ver, escutar, fazer, pensar, etc. Você só necessita decidir que não quer ficar entediado.

Ampliação da atividade

Confeccione uma lista bem grande com todas as atividades que você gosta de realizar com: os membros da família, o grupo de amigos, outras pessoas que conhece. Seguramente você conseguirá um montão de ideias divertidas.

Vivo rodeado de gente maravilhosa!

Objetivo

Ter consciência de que pessoas são importantes para nós.

Descrição

Tente, sem pensar muito, adivinhar o número de pessoas que você conhece. Anote. Agora, escreva uma lista com todas as pessoas que são importantes na sua vida por qualquer motivo.

Pense no que elas lhe proporcionam: carinho, diversão, ajuda médica, educação, cuidado, alimentação, proteção... tudo o que venha a sua cabeça, e agrupe-as em várias categorias.

Para isso escreva os nomes fazendo uma flor parecida com o desenho:

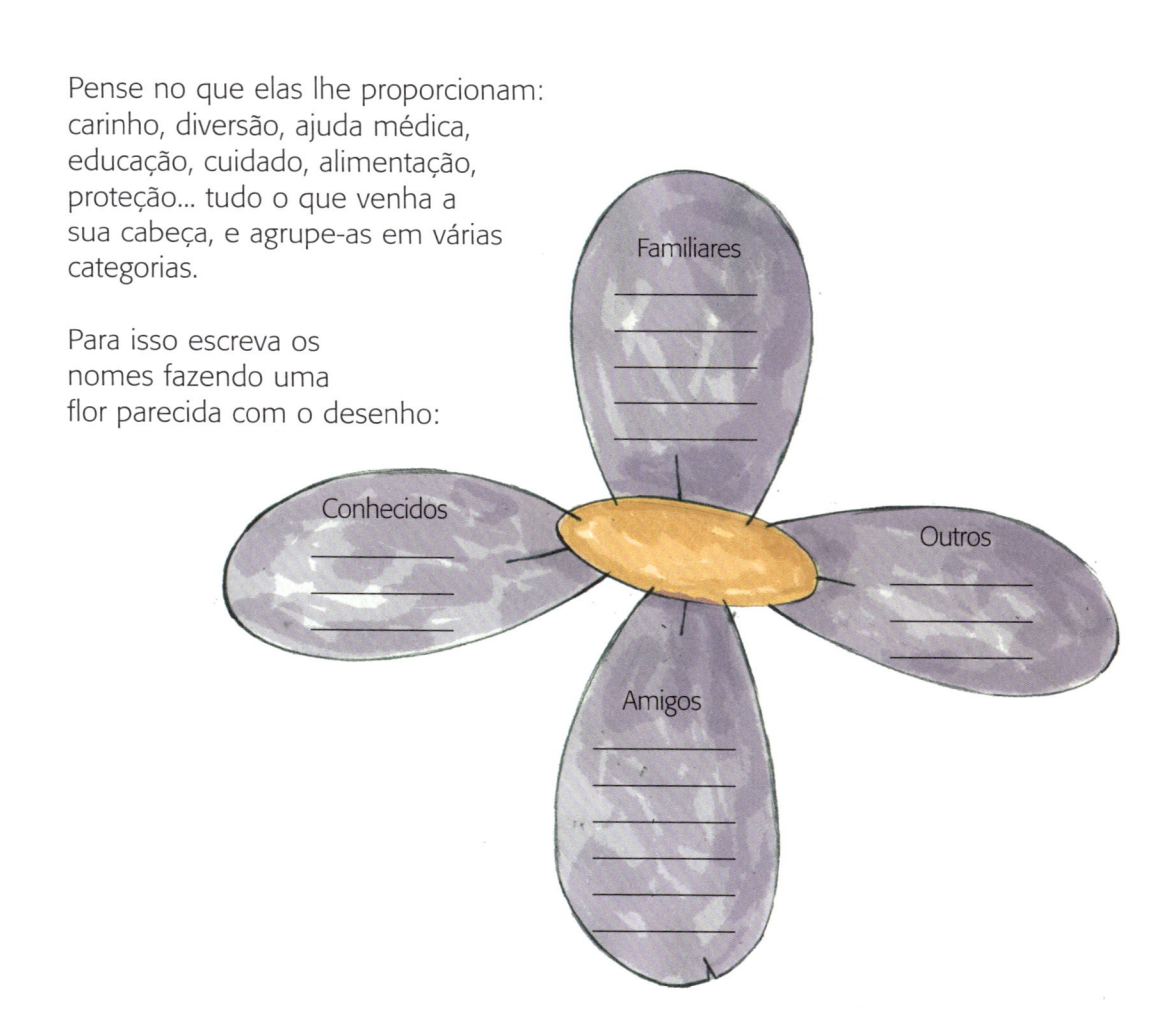

Orientações para os educadores

Para ajudar a criança a refletir sobre a diversidade de pessoas de que ela necessita em sua vida e a importância destas para ela, pode ser útil o seguinte exercício:

Pense em suas atividades diárias e nomeie todas as pessoas com quem você se relaciona desde que se levanta até o momento em que vai dormir.

Pense no seguinte

- Você se relaciona com algumas pessoas somente em determinados dias ou em determinadas atividades?
- Que pessoas são imprescindíveis em sua vida?
- Que pessoas são importantes somente em certos momentos? Por exemplo, quando fica doente, quando você quebra algo, durante as férias, etc.

Variante da atividade

Você pode realizar uma colagem recortando fotografias ou fazendo desenhos.

RESUMINDO, POSSO DIZER QUE:

Conheço aproximadamente_____ pessoas (escreva um número). Da minha família, são_____ pessoas (escreva um número). Posso contar com as pessoas que conheço, cada uma me ensina algo. Algumas são, para mim, mais importantes do que outras.

Minhas roupas

Descrição

Conhecer como as circunstâncias nos condicionam e como requerem a adaptação de nossos hábitos pessoais contribui para o desenvolvimento do saber estar.

Você já pensou alguma vez em como será algum aspecto de sua vida dentro de 2 anos?
E dentro de 5? E dentro de 10? E dentro de 25?

Leia a história de Carmen:

Um dia, Carmem começou a sonhar acordada. Via-se em uma festa, era a formatura dos seus estudos primários.

Usava um vestido lindo, parecido com aquele que, meses antes, viu sua prima usar em um jantar de família.

Depois, começou a imaginar como se vestiria quando tivesse 18 anos. Via-se como uma modelo de revista, com diversos vestidos caros, justos e decotados.

Depois, pensou em como se vestiria aos 25 anos, quando já trabalhasse. Carmem desejava ser recepcionista em um hotel. Imaginava-se vestida com um uniforme, um blazer azul-marinho e sapatos com um discreto salto alto. Estava elegante.

Depois, pensou em como se vestiria em casa, sem o uniforme de trabalho. Via-se com uma roupa confortável, e depois com trajes informais: calça jeans e camiseta, para ir fazer compras. Carmem parou de pensar e disse a si mesma:

— Até hoje eu não tinha prestado atenção nas diferentes maneiras que temos para nos vestir!

Depois, pensou que de todas as situações anteriores havia uma que não se encaixava com a realidade...

Você consegue adivinhar qual?

Carmem pensou em se vestir como uma modelo, mas se não se dedicar a isso, não será algo normal. Depois, pensou se, como uma recepcionista de um hotel, havia imaginado a roupa apropriada.

Carmem terminou seu sonho pensando em como seria sua vida se fosse viver na China.

Para ajudá-lo a refletir

E você, como crê que se vestirá quando for mais velho? Imagine-se daqui a muitos anos, quando estiver trabalhando. Como você se vê? Você poderia fazer um desenho – pode ser muito divertido recuperá-lo quando chegar o momento e contrastar a realidade com sua opinião de agora.

Para que você se aproxime mais da realidade, tenha em mente as circunstâncias atuais. Pense em onde viverá, com quem, que trabalho terá, onde, se estará ou não em contato com outras pessoas e outras coisas. Perceba que há circunstâncias que nos condicionam mais e outras, menos.

A importância das decisões

Objetivo

Ter consciência das decisões e da responsabilidade que assumimos ao tomá-las.

Descrição

Todos os dias, tomamos muitas decisões; delas depende o modo como as coisas acontecem. Vamos propor um jogo: revise algumas das decisões que Eduardo tem de tomar em um dia qualquer e analise suas consequências...

Às 7h45min o despertador de Eduardo toca. É segunda-feira e ele tem muita preguiça.

O que Eduardo decide fazer?

a. Levantar-se em seguida. Pensar que será um grande dia e começar com ânimo. Eduardo pode tomar o café da manhã com tempo suficiente e chegar pontualmente na escola.

b. Desligar o despertador e continuar dormindo. Depois de um tempo, chega sua mãe e o desperta. Ela se mostra contrariada com a preguiça de Eduardo e lhe dá uma bronca. Agora deve fazer as coisas com pressa e, além disso, começa o dia com uma bronca.

Às 9 horas, em ponto, a professora começa a aula. Ela pede a Eduardo que empreste o caderno para Raul copiar os exercícios do dia anterior, porque ele estava doente.

Eduardo não gosta de emprestar o caderno para Raul porque, da última vez, Raul o devolveu cheio de riscos.

Que decisão ele toma?

a. Obedece à professora e empresta o caderno para Raul. Sente-se mal e está todo o tempo inquieto, olhando para se assegurar de que ele não rabiscará o caderno. Por isso, distrai-se e não se concentra em seu trabalho.

b. Entrega o caderno a Raul e, ao dar a ele, diz: — Cuidado, por favor. Gosto de manter o caderno limpo. — Confia que Raul entendeu a mensagem e que terá mais cuidado agora. Concentra-se em suas tarefas sem se preocupar mais com o caderno.

c. Nega-se a entregar o caderno, dizendo em voz alta para a professora o que aconteceu da última vez que o emprestou. A professora considera que Eduardo deveria dar uma segunda chance para Raul e insiste para que empreste o caderno, pedindo a este que seja responsável com as coisas que não lhe pertencem. Raul se sente ofendido ao ser criticado em público e se irrita com Eduardo. O clima da classe é tenso: Eduardo está contrariado porque a professora o obrigou a emprestar o caderno a Raul e, ainda que reconheça que seu comportamento foi pouco educado, está tenso e inquieto pela reação de Raul.

São 11h30min, hora do recreio. Eduardo quer jogar futebol com os colegas, mas eles dizem que hoje já têm a equipe formada. Ele se sente desprezado e triste.

O que decide fazer?

a. Sentar-se em um canto, enquanto come o lanche, e observar como os outros alunos se divertem. Fica triste, abatido, sem possibilidade de se divertir no recreio.

b. Insiste, propõe alternativas, negocia sua participação como árbitro. Adota uma postura participativa, aceita a decisão dos colegas apesar de não gostar dela. Mas, em vez de se sentir desprezado, sua atitude colaborativa e imaginativa pode proporcionar-lhe um lugar no jogo.

c. Irrita-se com os colegas e, dando meia-volta, diz que existem outros para jogar. Sente-se desprezado, incomodado e de mau humor. Vai jogar com outros colegas, mas sua raiva o impede de desfrutar.

De noite, depois de jantar, seus pais estão assistindo à televisão. Há um programa que parece divertido e Eduardo gostaria de vê-lo. Mas seus pais pedem que ele vá se deitar.

Que decisão Eduardo toma?

a. Desobedecendo aos pais e não indo se deitar em seguida, vai se entretendo com o programa. Depois, pede para que eles o deixem ver meia hora mais; e eles permitem. No dia seguinte, quando toca o despertador, Eduardo está com muito sono e sua mãe o adverte que é consequência de ir dormir tarde.

b. Analisa a situação, entende que seus pais dizem para que ele vá se deitar para seu próprio bem, apesar de o programa parecer divertido e de gostar de ficar com eles vendo televisão. Decide ir dormir, dá boa noite e no dia seguinte desperta animado.

Tente se dar conta das decisões que você tomou hoje e as consequências que cada uma delas traz. Você pode fazer esse exercício sempre que quiser; inclusive pode prestar atenção nas decisões que os outros tomam em diferentes situações. Você também pode convidar seus amigos para brincar de "o que aconteceria se eu decidisse...?", imaginando diferentes situações em que, no dia a dia, é necessário tomar decisões, e pensar nas consequências das alternativas possíveis.

Lembre-se

Não é necessário ter um problema para tomar uma decisão, basta ter diferentes alternativas diante de uma situação cotidiana. Cada alternativa tem suas consequências. Cada um é responsável pelas consequências de suas decisões.

Uma ajuda não é uma dívida

Objetivo

Compreender que devemos fazer as coisas pelos outros de forma desinteressada.

Descrição

Observe que, muitas vezes, quando alguém faz algo por nós, sentimo-nos como se estivéssemos em dívida com ele; ou, ao contrário, quando fazemos algo pelos demais, deixamos que eles se sintam em dívida conosco.

Hoje, Luís, depois de jantar, começou a escrever uma longa lista. Sua mãe, intrigada com o silêncio, pergunta-lhe:

– O que você está escrevendo? Luís responde, muito seriamente:
– Estou fazendo minha fatura da semana.
– Sua fatura da semana? Do que você está falando?

Luís se levanta, entrega-lhe o papel e diz:
– Pegue, mamãe. Se quiser, podemos negociar alguns preços.

A mãe de Luís lê, atônita, uma lista que contém:

Regar as plantas da varanda	R$ 3
Colocar a mesa todos os dias	R$ 12
Ajudar minha irmã com os deveres	R$ 10
Ir comprar o pão no fim de semana	R$ 3
Arrumar meu quarto	R$ 4
Fazer os deveres e tirar boas notas	R$ 20
TOTAL	R$ 52

Sem dizer uma palavra, sua mãe segura o papel, vira-o e escreve, silenciosamente:

Carregá-lo nove meses na minha barriga	NADA
Amamentá-lo durante seis meses	NADA
Amá-lo com todo o meu coração	NADA
Cuidar de você quando está doente	NADA
Levá-lo e buscá-lo no colégio todos os dias	NADA
Preocupar-me com você e com seu futuro	NADA
Abraçá-lo quando você chora	NADA

Ao ler a lista de sua mãe, Luís compreende que nem tudo o que fazemos pelos outros tem preço.
Ao olhar sua mãe nos olhos, e dizendo-lhe "amo você", escreveu no mesmo papel: "dívida cancelada".

Nessa história, vimos que a mãe de Luís faz muitas coisas por ele sem esperar nada em troca.

Com certeza você também faz muitas coisas sem pensar em obter recompensa alguma, e também recebe favores dos outros sem oferecer nada em troca. Você poderia anotar em um diário quanto desses comportamentos consegue descobrir nos próximos dias.

Para ajudá-lo a refletir

Quando alguém faz alguma coisa por outra pessoa sem esperar recompensa, costuma se sentir muito bem consigo mesmo e faz os outros felizes. A isso, damos o nome de comportamento pró-social. Há muitas maneiras de se ter um comportamento pró-social; algumas vezes ele pode consistir em algo tão simples quanto, por exemplo, dedicar dez minutos para escutar alguém que necessita.

Minhas atitudes diante das tarefas

Objetivo

Analisar as atitudes com que se enfrentam as diferentes atividades cotidianas e aprender a realizá-las de uma maneira mais positiva.

Descrição

Nossa vida está cheia de atividades. Algumas fazem parte da rotina, outras são improvisadas ou planejadas; nós as escolhemos excepcionalmente ou em ocasiões exatas.

Algumas costumam ser feitas sem demasiado esforço, nem interesse, enquanto outras despertam mais motivação e entusiasmo e, consequentemente, desfrutamos mais realizando-as.

Há tarefas que temos de fazer por obrigação e que nem sempre são agradáveis, como retirar a mesa, fazer os deveres, lavar a louça, tirar o lixo, arrumar a escrivaninha ou o quarto, acompanhar alguém nas compras, etc. Algumas vezes, inclusive, deixamos de fazê-las ou as fazemos de "qualquer maneira" só para terminar mais rápido. Mas, em seguida, vêm as consequências, e nos sentimos mal por não ter cumprido com nossas obrigações.

Participantes: individual.
Idade: a partir de 8 anos.

Dizem os especialistas que para ser feliz deve-se fazer o que se gosta. Em outras palavras: se nos esforçamos e valorizamos a necessidade daquilo que fazemos, assim como o resultado obtido, nossa satisfação será maior e faremos nossas tarefas de bom humor.

O primeiro passo para alcançar uma mudança de atitude diante das atividades habituais pode ser refletir sobre as tarefas em que você se esforça mais. A seguir, você encontrará uma tabela como exemplo para que tente aplicá-la em seu caso. Pode respondê-la em voz alta ou, se preferir, anote as respostas em um papel e revise-as mais tarde.

.

ATIVIDADE	MOTIVAÇÃO	ESFORÇO	RESULTADO
Que atividades realiza depois da aula?	Por que as faz?	Dê uma nota de 0 a 10 para o esforço que supõe ter de fazer em cada uma. É um esforço físico, mental, de tempo...?	O que cada uma lhe traz? É satisfatório para você fazê-las?
Suas brincadeiras ou passatempos favoritos.	O que cada um lhe traz?	Dê uma nota de 0 a 10 para o esforço que supõe ter de fazer em cada uma. É um esforço físico, mental, de tempo...?	O que você obtém com isso?
Quais são seus programas de TV favoritos?	O que você mais valoriza neles?	Dê uma nota de 0 a 10 para o esforço que fazer isso supõe. Quanto tempo investe para vê-los?	O que você obtém com isso?
O que você acha mais importante ou interessante no dia?	Por quê?	Dê uma nota de 0 a 10 para o esforço que supõe fazer isso.	O que você obtém com isso?
O que você acha menos importante ou interessante no dia?	Por quê?	Dê uma nota de 0 a 10 para o esforço que fazer isso supõe.	O que você obtém em troca?
O que você mudaria nas suas atividades?	Por quê?	Dê uma nota de 0 a 10 para o esforço que fazer essa mudança significaria.	O que você obteria com isso?

Para terminar, escolha aquelas atividades que lhe pareceram menos agradáveis e pense em como conseguir que se tornem mais prazerosas.

Querer é poder, apesar de…

Descrição

Seguramente você conhece a famosa frase: "querer é poder", a qual, ainda que pareça difícil, é uma grande verdade. Para ilustrá-la, leia atentamente esta história[1]:

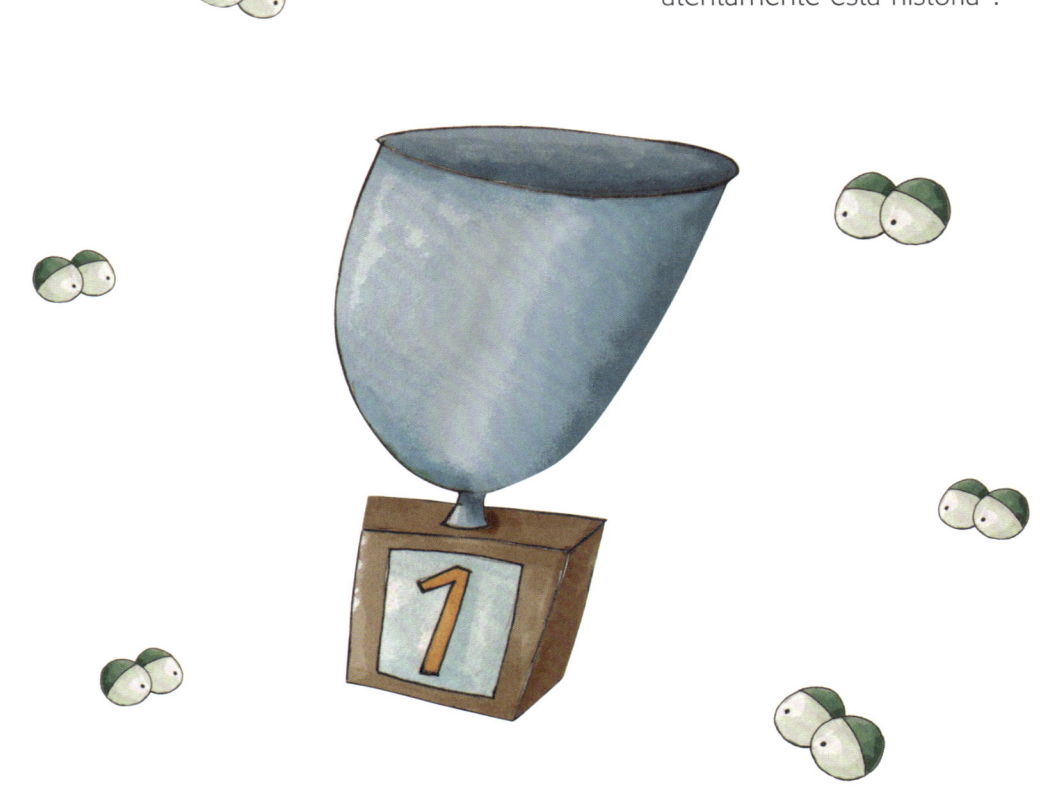

Uma vez foi realizada uma corrida de rãs. O objetivo era subir no alto de uma torre.

No começo, todas saíram entusiasmadas para alcançar a meta, pois o prêmio era extraordinário.

1. Conto anônimo.

Mas os espectadores, assim que se deu início à corrida, começaram a fazer piadas com elas e vaiavam:

*– Vocês jamais conseguirão!
É impossível.*

– Por que não deixam de correr?

– Estão loucas. Ninguém jamais conseguiu chegar a semelhante altura.

Os espectadores riam e zombavam tanto que, pouco a pouco, as corredoras foram desistindo e se retirando, convencidas de que, realmente, era impossível chegar ao cume.

Mas uma rãzinha subia e subia. Tanto se empenhou que, no final, conseguiu chegar e ficar com o prêmio. Os espectadores ficaram mudos, não podiam acreditar no que viam. Os repórteres, rapidamente, fizeram uma entrevista, perguntando-lhe como era possível alcançar algo que parecia, realmente, um sonho inalcançável.

E a rãzinha somente dizia: — O quê? Quê? Como? — Então, descobriram que ela era surda e que durante a corrida acreditava que o público a estava animando.

Perceba que a rãzinha da história acreditou nas suas possibilidades e se esforçou enormemente para alcançar a meta.

- O que você acha que teria acontecido se ela não fosse surda?

Você acertou! Provavelmente, ela teria abandonado a prova como as companheiras, porque a pressão do grupo a faria acreditar na impossibilidade de chegar no topo.

Reflita com base nas seguintes perguntas

- Você também acredita incondicionalmente no que os outros dizem sobre suas possibilidades?

Escutar os outros pode ser positivo, mas sempre que contrastemos com nossa própria opinião.

- Você envia mensagens positivas para si?

Quando acredita em suas possibilidades, você se esforça. Esse é o truque que lhe permite chegar à meta ou aproximar-se ao máximo. Se, durante o esforço, você se anima com pensamentos que lhe dão fôlego e repete coisas como: "Ânimo, você pode!", sua resistência aumenta e você tem mais possibilidades de alcançar o objetivo.

As palavras, boas ou más, podem fazer muito bem ou muito mal a quem as escuta. É importantíssimo incentivar os outros com palavras positivas e que renovem o fôlego, mas também faça isso para si mesmo. Ao mesmo tempo, deve-se ser "surdo" quando alguém lhe disser que você não vale nada ou que não pode alcançar seus sonhos.

Meus "amuletos secretos"

Descrição

Qualquer um de nós vive um monte de experiências, agradáveis e desagradáveis. Diante das situações desagradáveis, temos a sensação de mal-estar. No entanto, sempre podemos recorrer a nossos *amuletos secretos* para nos sentir melhor. Mas o que é um *amuleto secreto*?

Um *amuleto secreto* pode ser um pensamento, uma imagem, uma música, um gesto, etc., que somente você conhece e que lhe evoca algum momento no qual experimentou alguma sensação de bem-estar ou felicidade muito grande. Quando recorrer ao seu amuleto secreto, você sentirá uma agradável sensação de bem-estar; é como se tomasse uma dose menor das mesmas emoções que essa experiência tão agradável de que agora você se recorda lhe provocou.

Uma emoção desagradável se transforma quando experimentamos outra agradável. Por isso, quando recorrer ao seu *amuleto secreto* e se concentrar nele, o mal-estar diminuirá de maneira considerável.

Agora você precisa descobrir qual é ou quais são seu(s) amuleto(s) secreto(s). Para isso, siga os seguintes passos:

1. Procure em suas recordações.

Por exemplo:

- Tente se recordar de situações nas quais você se divertiu muitíssimo.
- Imagine-se realizando a atividade de que você mais gosta.
- Tente se recordar daquela vez que você se sentiu mais querido que nunca.
- Devolva para o seu pensamento a imagem daquela paisagem que lhe fez sentir uma enorme sensação de paz interior.
- Procure em sua memória sua canção favorita.

2. Escolha aquelas recordações que façam com que você se sinta melhor.

3. Pratique concentrando-se em uma delas cada vez que se sentir mal diante de alguma situação.

Lembre-se

O uso do *amuleto secreto* é pessoal e intransferível. Serve somente para você e só você pode decidir quando usá-lo. Com a prática, os resultados melhoram.

Sou positivo e otimista?

Objetivo

Refletir sobre as características das pessoas otimistas e as vantagens de adotar atitudes positivas frente aos problemas cotidianos.

Descrição

A seguir, encontrará um exercício de imaginação baseado na imagem mental que tem de uma pessoa otimista. Trata-se de se recordar de alguém que conheça bem e que qualificaria de otimista. Durante todo o exercício, pense nessa pessoa.

Agora pense se sua "pessoa otimista" possui alguns dos traços distintivos destacados em negrito da lista a seguir.

- **Sorri com frequência.**
- Costuma estar apática, sem fazer nada.
- **Não se abate diante dos problemas, mas sim os enfrenta.**
- **Acredita que pode fazer algo para melhorar as coisas.**
- Desespera-se com frequência.
- **Confia e se esforça para conseguir o que se propõe a fazer.**
- Desiste diante dos problemas.
- **Tem facilidade para encontrar algo bom em tudo.**
- Concentra-se nos problemas e lhe custa sair deles.
- **Sua frase favorita poderia ser "sempre há esperança".**

Você gostaria de aprender a ser mais otimista? Alguns exercícios úteis para adotar uma postura mais positiva diante da vida podem ser:

1- Procure o lado positivo das coisas que acontecem com você.
Para isso:

A Identifique os pensamentos negativos que vêm automaticamente em sua mente e que lhe produzem tristeza, raiva, angústia... por exemplo:

"Jamais conseguirei."

B Observe o que provoca esses pensamentos. Possivelmente você se dará conta de que está exagerando ou que generaliza uma situação pontual ou parcial.

C Quando pensar coisas como:

"Cometi um erro."

"Por um momento, deixei de confiar em mim..."

"Estou nervoso, devo me tranquilizar..."

D Mudar o pensamento negativo por outro mais positivo, imaginando o que você pode fazer para melhorar a situação.

E Então, pense coisas como:

"Não está tudo perdido."

"Se me esforçar ou pedir ajuda, talvez possa conseguir mais adiante."

"Vou me tranquilizar respirando profundamente e com certeza logo me sairei melhor."

2- Treine interpretações positivas de forma positiva.

- sucessos obtidos por você ou por outras pessoas que você conhece;
- coisas que o preocupam;
- costumes de que você não gosta (em casa, em seu grupo de amigos, sociais...);
- características das pessoas de quem você não é tão próximo.

3- Esforce-se para destacar as partes positivas das coisas.
Isso não significa se esquecer das negativas, mas sim agir com uma atitude melhor; por exemplo, relembre que os otimistas se fixam nas coisas boas e os pessimistas, nas coisas ruins que acontecem.

Lembre-se
O otimismo é a atitude positiva e alegre com que se vive o dia a dia e que ajuda a triunfar nas relações, nos estudos, na profissão e na vida em geral. Permite que você vença as dificuldades, supere os contratempos e progrida.

Melhor prevenir que remediar

Objetivo

Decidir quais hábitos são os mais saudáveis para fortalecer a saúde e contribuir para o bem-estar pessoal.

Descrição

É sabido que a saúde influencia o nosso bem-estar de uma forma decisiva. Você já pensou alguma vez que sua saúde depende, em grande medida, dos seus hábitos ou costumes? Você sabia que pode influenciar positivamente em sua saúde? Consegue saber até que ponto tem hábitos preventivos para sua saúde?

Pegue um papel e dê uma pontuação de 0 (nunca) a 10 (sempre) para cada uma das seguintes atividades ou costumes:

– Como frutas e verduras todos os dias.

– Escovo meus dentes com regularidade.

– *Habitualmente faço exercícios físicos (pratico ginástica, corro, patino, ando de bicicleta, etc.).*

– *Procuro descer e subir escadas.*

– *Organizo meu tempo para evitar fazer as coisas de última hora.*

– *Tento relaxar quando noto que estou nervosa (respiro profundamente, imagino que estou em uma situação agradável...).*

– *Durmo o suficiente.*

– *Tenho um horário bastante regular.*

– *Tomo o café da manhã e o lanche evitando comer coisas industrializadas (biscoitos, croissants, massas, etc.).*

– *Dou risada com frequência.*

– Procuro manter posturas adequadas (por exemplo, ao me sentar para não machucar minhas costas, etc.).

– Bebo uma quantidade suficiente de água todos os dias.

Agora some os pontos e divida-os por 12. Obterá um número entre 0 e 10. Essa é a pontuação que você conseguiu em termos de prevenção à saúde.

Para ajudá-lo a refletir

Preste atenção em quais hábitos você teve uma nota menor. Escolha um (melhor não escolher mais de um ao mesmo tempo). Em uma folha, desenhe um plano de mudança e melhora pessoal e pendure-o em sua escrivaninha ou no espelho do seu banheiro. Isso para que o tenha presente e o revise diariamente para ver se você está conseguindo alcançar seu objetivo.

Observações para os educadores

Numerosos estudos afirmam que para adquirir novos hábitos saudáveis é preciso praticá-los de forma ininterrupta durante 21 dias.

Inventário de conquistas agradáveis

Objetivo

Aprender a prestar atenção nos fatos agradáveis ou positivos que nos acontecem diariamente e que, conjuntamente, são fonte de bem-estar pessoal.

Descrição

Fazer inventários significa fazer uma lista dos pertences de alguém.

Faça um inventário de todas as coisas boas que acontecem com você todos os dias. Seguramente você também se lembrará de coisas não tão boas, ou até mesmo desagradáveis. No entanto, com esse exercício você poderá aprender a não se esquecer de que cada dia lhe proporciona experiências ou momentos agradáveis que o ajudam a ser mais feliz.

Márcio realizou esse exercício e ficou surpreendido com a longa lista de coisas agradáveis que lhe aconteciam, nas quais nunca prestara atenção.

Na sua lista era possível ler, por exemplo:

- Hoje minha irmã me fez carinho na cabeça ao passar ao meu lado.
- Terminei a tarefa a tempo e me senti genial!
- Meus amigos me deixaram jogar futebol com eles e me pediram para que eu batesse o pênalti, e marquei um gol!
- Hoje foi um dia estupendo, o sol brilhou e pudemos ir ao parque.
- Um amigo do meu pai nos ligou e nos convidou para passar um fim de semana com sua família; adoro estar com eles.
- Neste fim de semana, meus pais me levarão ao cinema.
- A caminho do colégio, meu pai me contou uma história muito engraçada, de quando ele era pequeno.
- A professora me disse que meu trabalho estava melhor do que os outros que já fiz
- Eu precisava de lápis de cor e havia esquecido o estojo. Rosa me emprestou os seus sem que eu precisasse pedi-los.
- Minha mãe nos contou ontem uma história muito bonita antes de irmos dormir.
- Minha mãe ficou orgulhosa de mim quando lhe mostrei o desenho que fiz.

Agora é a sua vez de fazer um inventário. Tente escrever somente as coisas boas, o que é agradável no seu dia a dia. Comece colocando, no mínimo, duas coisas a cada dia em sua lista.
Você verá que logo estará mais sensível e saberá valorizar mais todas as coisas boas às quais antes não dava tanta importância.

Lembre-se

Essa atividade é útil para estimular a melhoria do estado de ânimo nos momentos em que as coisas não vão tão bem. É nesses momentos que lhe convém ler o inventário. Ele lhe incentivará com esperança e reduzirá o mal--estar diante da situação desagradável que estiver vivendo.

Posso fazer coisas novas

Descrição

Às vezes, você pensa em coisas que gostaria de fazer.

Apesar de serem atividades que você gostaria de praticar, não as faz, seja por falta de tempo ou porque não se decidiu a tentar.

Reflita sobre as perguntas seguintes

- Que sensação você experimenta quando fica com vontade de fazer alguma coisa?
- Como você se sente?

Um lindo dia, Inês se perguntou o que lhe impedia de dizer para seus pais que ela gostaria de jogar basquete. Tinha certeza de que eles concordariam. Então, onde estava o problema? Para Inês, foi difícil encontrar uma única razão e disse várias vezes: ficará tarde e estarei cansada, talvez me atrase nos deveres da escola, não sei se jogarei bem...

Mas Inês também pensou em si mesma e no que praticar basquete lhe agregaria.
Encontrou boas razões: esse esporte sempre chamou sua atenção, acreditava que era bom para ela praticar mais exercícios, pensou que, além disso, permitiria que ela viajasse se competisse com escolas de outras cidades, seria interessante e talvez divertido experimentar uma nova atividade, etc.

Finalmente, comentou o desejo com os pais e se matriculou nas aulas de basquete extraescolar. Sentiu-se tão feliz! Estava tentando algo novo, algo que lhe agradava, havia dado um passo adiante e isso fazia com que ela se sentisse bem.

Pense em todas as coisas que você gostaria de fazer. Selecione as que mais lhe agradam e que você considera que vale a pena tentar colocar em prática. Escolha uma delas e procure uma maneira de realizá-la.

Lembre-se

Fazer coisas novas, demonstrar para si que pode realizar tarefas diferentes, é fonte de bem-estar pessoal.

Orientações para os educadores

É importante controlar para que as tarefas que as crianças escolham sejam realistas e adequadas para sua idade.

Um livro de uso fundamental

Atividades para o desenvolvimento da inteligência emocional nas crianças foi pensado para que diferentes tipos de usuários e de leitores possam trabalhar com ele, sejam crianças, pais ou educadores.

As atividades deste livro são muito fáceis de compreender, porque os textos estão escritos com uma linguagem clara e simples, para que as **crianças** possam lê-las e realizá-las sozinhas. Qualquer atividade compreendida no livro é ideal para ocupar uma tarde de chuva e para evitar o tédio. Os pais podem propor aos filhos que escolham uma atividade e a realizem sozinhos. Assim que a terminarem, os **pais** podem ajudá-los a refletir, revisando juntos as respostas.

Essa obra também é uma ferramenta fundamental para os **educadores**, que encontrarão nela exemplos de como abordar e avançar na Educação Emocional de crianças entre os 8 e os 12 anos de idade. Além disso, as **fichas** e os **quadros** que aparecem ao longo do livro

foram pensados para serem fotocopiados e entregues para cada aluno preencher. Além da divisão em cinco blocos de competências, que já foram mencionados na introdução, este livro está estruturado em uma série de **itens** para facilitar o trabalho.

Em primeiro lugar, encontramos o item **Objetivo**, em que se expressa com uma só frase a finalidade da atividade. Esse item facilita para os educadores a busca das atividades para trabalhar concretamente um aspecto do desenvolvimento da Inteligência Emocional.

A seguir, todas as atividades contam com um item chamado **Descrição**, no qual estão detalhados os passos a realizar. Essa é a parte mais importante da atividade e pode ser usada tanto por crianças quanto por pais e educadores.

Dentro da descrição, costuma ser feita uma série de **perguntas sem respostas** para que a criança reflita.
As perguntas não têm respostas porque não há uma resposta correta, a criança

deve buscar por si mesma a própria resposta. Por outro lado, nos casos em que se propõe relacionar frases, coisas ou emoções, as respostas são dadas para que a criança possa verificá-las sozinha.

Algumas atividades contam com um pequeno quadro no qual se detalha o **Material** necessário, o número de **Participantes** adequado e a **Idade** ideal para o desenvolvimento da atividade. Esse quadro é importante porque, em alguns exercícios, é imprescindível que haja um determinado material, sem o qual a realização é impossível. Outras atividades foram pensadas para serem realizadas em grupo, e deve-se prestar atenção no número de pessoas requerido antes de começá-la. Por último, deve-se observar a idade que cada atividade abrange, pois o livro foi pensado para crianças de 8 até 12 anos. E por ser uma faixa etária muito ampla, em algumas atividades foi especificada a que idade se dirigem para orientar o educador.

O item **Observações para os educadores** foi especialmente pensado não só para os professores, mas também para os pais, pois nele encontrarão pistas e conselhos para ajudar as crianças a realizar as atividades ou sugestões sobre outras maneiras de realizá-las.

Outro item, a **Análise dos problemas**, é fundamental para as crianças. Aparece nas atividades em que se dá um problema ou uma situação complicada e lhes mostram como enfrentar o problema com atitude positiva.

Mas o objetivo de todos não deve ser somente o de ensinar a desenvolver a Inteligência Emocional, mas também o de ajudar as crianças a recordar comportamentos e atitudes que já conhecem. Disso se encarrega o item **Lembre-se**, que aparece em algumas atividades.

Por último, **Para ajudá-lo a refletir** oferece pequenas reflexões para que a criança pense na atividade depois de terminá-la, para ir mais além desta. Graças às sugestões deste livro, o ensino da Inteligência Emocional sera muito mais simples a partir de agora.

Agradecimentos

A maioria dos livros é o resultado de um longo trabalho no qual participam um grupo de pessoas de forma direta ou indireta. Este é um exemplo disso. Nesta página, os autores querem manifestar seu agradecimento às pessoas que de alguma forma colaboraram em sua criação.

Em primeiro lugar, o agradecimento a todos os membros do GROP (Grup de Recerca en Orientació Psicopedagògica), que desde 1997 está investigando e desenvolvendo a educação emocional. Todos os autores deste livro são membros do GROP, mas nem todos os membros do GROP figuram como autores. Alguns deles participaram de forma indireta, com apoio, sugestões, ideias, etc.

Em segundo lugar, queremos agradecer aos alunos de Mestrado em Educação Emocional e Bem-estar, que desde 2002 passaram pelas aulas da Universidade de Barcelona e da Universidade de Lleida. As perguntas, os colóquios, as entrevistas, os tutoriais, etc. foram um estímulo constante para avançar em direção a um melhor conhecimento dos fenômenos afetivos que fundamentam a prática da educação emocional.

Obrigado também aos participantes das Jornadas de Educação Emocional, que são celebradas em Barcelona anualmente desde 2005, já que, por meio de comunicações, debates, mesas redondas, oficinas, etc., criaram um corpo de conhecimento que serve de base para a educação emocional.

A ajuda da FEM (Fundación para la Educación Emocional), que desde 2007 difunde a educação emocional por meio de investigação e formação, também foi indispensável. Nas reuniões da FEM foram elaboradas e discutidas propostas que contribuem para a melhoria e para a difusão da educação emocional.

Por último, queremos agradecer a todas as pessoas que de alguma forma contribuíram para tornar possível esse trabalho: familiares, companheiros, alunos, autores de outros livros, etc., e em particular a todos que ajudaram e deixamos de mencionar.

Muito obrigado a todos.